ISBN 2.215.060.09.3
© Éditions FLEURUS, 1995.
Dépôt légal à la date de parution.
Conforme à la Loi N°49-956 du 16 juillet 1949
sur les publications destinées à la jeunesse.

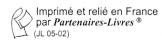 Imprimé et relié en France
par *Partenaires-Livres* ®
(JL 05-02)

NATURE

DES PHENOMENES EXTRAORDINAIRES

Texte

Christine Lazier

Images

Marie-Christine Lemayeur
Bernard Alunni

Conception

Emilie Beaumont

FLEURUS
ENFANTS

ÉDITIONS FLEURUS, 15-27, rue Moussorgski, 75018 PARIS

Le grand boum

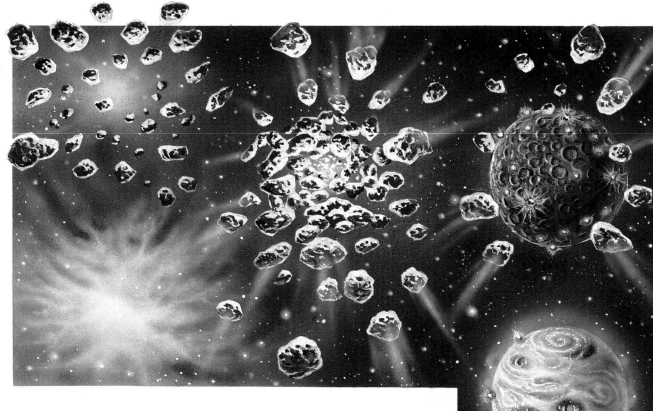

Les scientifiques pensent que l'Univers serait né à la suite d'une explosion gigantesque, le big bang ou "grand boum", il y a 15 à 20 milliards d'années.

L'explication de la naissance de l'Univers est très complexe et tous les physiciens ne sont pas d'accord.
Voici l'hypothèse le plus souvent développée.
Au commencement, l'énergie et la matière étaient concentrées en une toute petite bille, dont la température était des milliards et des milliards de fois plus chaude que le Soleil. Une fraction de seconde après la détonation, les éléments de matière sont libérés et l'Univers commence son expansion. La température baisse d'un milliard de degrés. Les poussières de matière s'agglutinent et la formation des étoiles commence un milliard d'années plus tard. De cette évolution naîtront ensuite les planètes, dont la Terre, qui se serait formée il y a 4,5 milliards d'années.

Les beautés de l'espace

Une galaxie est constituée de millions d'étoiles qui gravitent ensemble.
Dans une petite galaxie, on estime qu'il existe 10 millions d'étoiles ; dans une galaxie géante, 10 000 milliards !

La Voie lactée, la galaxie à laquelle nous appartenons, est constituée de 100 milliards d'étoiles… parmi lesquelles le Soleil est une étoile tout à fait ordinaire !
La Voie lactée a la forme d'un disque aplati de 90 000 années-lumière de diamètre. Précisons qu'une année-lumière est la distance parcourue par la lumière en un an, à raison de 300 000 km à la seconde !

Saturne et ses anneaux

Les célèbres anneaux de Saturne sont constitués d'innombrables morceaux de glace et de roches.
Ils peuvent être aussi petits que des flocons de neige ou aussi gros que des maisons.
Les astronomes pensent que ces morceaux n'ont jamais pu s'accoler pour devenir des satellites à cause des forces puissantes qu'exerce Saturne sur eux. Chaque anneau de Saturne visible au télescope est en fait composé de milliers d'anneaux plus fins qui se déplacent les uns par rapport aux autres.

7

Une boule de gaz

Jupiter est la plus grosse planète du système solaire : son diamètre est 11 fois plus grand que celui de la Terre ! C'est une gigantesque boule de gaz de 20 000 km d'épaisseur !

Une planète froide

Dans les couches de nuages qui l'entourent, il fait –150° C ! Alors qu'au centre la température atteint plusieurs milliers de degrés ! C'est la planète qui tourne le plus vite dans le système solaire. Des vents puissants, supérieurs aux ouragans terrestres, poussent les nuages et changent son aspect extérieur. Sa grande particularité est sa vaste tache rouge, dont le diamètre est 2 fois celui de la Terre. Les scientifiques pensent qu'il s'agit d'une énorme masse d'air tournant à plus de 500 km/h. Elle pourrait engouffrer 3 Terre entières !

16 satellites

Les plus gros sont Io, Europe, Ganymède et Callisto, essentiellement faits de glace et de roches. Sur Io, les volcans en éruption (image ci-contre) rejettent des gaz jusqu'à 280 km d'altitude.

La planète rouge

Mars est la 4ᵉ planète du système solaire. Ses deux satellites s'appellent Phobos et Deimos. Quand elle a commencé à exister, au cours du premier milliard d'années suivant sa formation, Mars devait ressembler à la Terre… Aujourd'hui, il n'y a aucun signe de vie sur Mars.

Son relief est accidenté : cratères, hauts plateaux, volcans, dunes… Les rivières fossiles prouvent que l'eau coulait autrefois sur Mars ! Elle possède des canyons géants de 4 000 km de long ! Le plus haut volcan, le mont Olympe, mesure 25 km de haut ! La couleur rouge du sol est due à l'eau et aux oxydes de fer contenus dans les roches et le sable.

Il y a aussi des saisons.
En hiver, des calottes de glace et de neige carbonique recouvrent les pôles et fondent au printemps. Mars est balayée par des vents terribles qui soulèvent des tempêtes de sable. La température du sol atteint – 130° C aux pôles et + 25° C à l'équateur !

Depuis longtemps, Mars fascine les hommes. Plusieurs vaisseaux spatiaux y ont déjà été envoyés en mission d'étude.

Une étoile brûlante

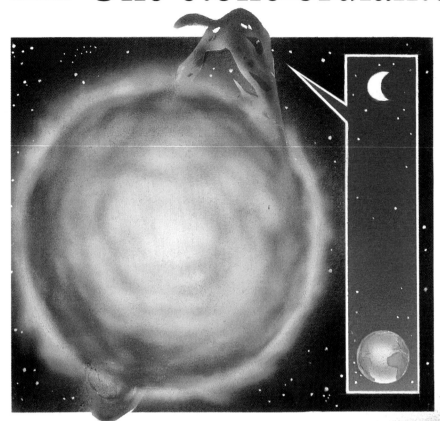

Une éclipse de Lune survient quand la Lune passe dans l'ombre de la Terre.
Une éclipse de Soleil se produit lorsque la Lune passe exactement devant le Soleil et fait de l'ombre à une partie de la Terre.
Lorsque l'alignement Terre-Lune-Soleil est parfait, l'éclipse est totale. Une éclipse totale de Soleil est visible à un endroit très précis de la planète et ne dure pas plus de 7 mn. Il y en a une tous les 2 ans environ sur Terre. La prochaine qui plongera le nord de la France dans l'obscurité aura lieu le 11 août 1999 et durera 2 mn et 23 secondes.

Des éruptions solaires géantes

Même s'il est à 150 millions de km, le Soleil est l'étoile la plus proche de la Terre. Il est tellement chaud qu'il n'est formé que de gaz ! La température à sa surface est de 5 000° C et à l'intérieur de 15 000 000° C ! Le Soleil n'est pas aussi calme qu'il y paraît. A sa surface ont lieu des éruptions violentes de gaz brûlants venus de ses entrailles. Elles montent à plus de 300 000 km d'altitude, soit environ la distance entre la Terre et la Lune. L'éruption la plus spectaculaire enregistrée mesurait 500 000 km de haut !

L'éclipse : un spectacle à ne pas manquer !

Comme la Lune tourne autour de la Terre et que la Terre tourne autour du Soleil, il arrive que la Lune soit parfaitement alignée avec le Soleil et la Terre : on parle alors d'éclipse.

Des corps célestes

atteindre plusieurs centaines de millions de kilomètres. La comète la plus célèbre, la comète de Halley (ci-contre), se rapproche du Soleil tous les 76 ans. C'est en 1986 qu'elle est apparue pour la dernière fois !

Les astéroïdes (ci-dessous) sont de petites planètes.
Leur diamètre varie de quelques dizaines à quelques centaines de kilomètres. C'est entre Mars et Jupiter qu'ils sont les plus nombreux. On connaît aujourd'hui plus de 5 000 astéroïdes, mais on en découvre tous les ans !

Les comètes sont de petits objets constitués d'un noyau de quelques dizaines de kilomètres de diamètre, fait de glace, de roches et de poussières. Dans le système solaire, elles s'éloignent à de très grandes distances du Soleil pour s'en rapprocher ensuite.

Quand une comète arrive près du Soleil, la glace s'évapore, les constituants de son noyau sont vaporisés, repoussés en jets et illuminés. Les gaz entraînent avec eux des poussières brûlantes et se répandent en une auréole de lumière : la "coma" ou chevelure. Cette chevelure s'étire en une queue fine, qui peut

La mort des étoiles

Il faudra environ 9 milliards d'années au Soleil pour user tout son carburant !
Lorsque le Soleil aura disparu, il sera temps pour les hommes d'en chercher un autre dans la Voie lactée ou dans une autre galaxie !

Une mort douce

Une fois qu'une étoile, à peine plus petite que le Soleil, a brûlé toute sa réserve de gaz, elle meurt. Elle se comprime et se rétrécit, s'échauffe et devient blanche : on l'appelle "naine blanche". Son cœur s'effondre.
Au bout de plusieurs milliards d'années, la naine blanche perd sa chaleur. Puis elle se transforme en naine noire, invisible.

Une mort explosive

En mourant, une étoile plus grosse que le Soleil se comprime encore plus. La matière est aussi serrée que si l'on pressait 100 tours Eiffel dans la pointe d'un stylo bille !
Lorsque le cœur de l'étoile s'effondre a lieu une explosion fulgurante, aussi brillante que des milliards de soleils ! Elle expédie dans l'espace les couches supérieures de l'étoile à des milliers de kilomètres par seconde ! Une tache lumineuse apparaît soudain dans le ciel : c'est une "supernova". Ce type de mort explosive d'étoile survient tous les 100 ans dans une galaxie !

De gros cailloux volants

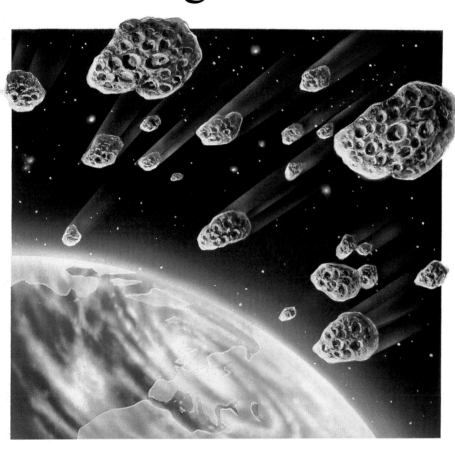

Une collision avec notre planète peut donc arriver dans les années à venir ! C'est le 29 septembre 2004 qu'elle sera le plus près de la Terre : 1,5 million de km ! Si elle atterrissait, à 137 000 km/h, elle provoquerait un cratère de 48 km de diamètre ! Si elle tombait dans un océan, elle produirait des vagues géantes et des raz-de-marée désastreux ! En 2126, le terrible danger pourrait provenir de la comète Swift-Tuttle, dont l'orbite croise celle de la Terre. Si elle devenait trop menaçante, les Américains pourraient la pulvériser avec des missiles nucléaires.

Une pluie d'étoiles filantes

En observant le ciel vers le 10 août de chaque année, on peut voir une multitude d'étoiles filantes : ce sont des poussières ou météores tombant de la queue de la comète Swift-Tuttle ! En contact avec l'atmosphère terrestre, les météores s'échauffent et disparaissent : on ne les aperçoit qu'un millième de seconde ! Ils tombent en pluie dès que la Terre croise une comète.

Des pierres venues de l'espace.

Lorsque des débris plus gros s'approchent de la Terre, ils ne s'enflamment pas complètement et finissent par s'écraser sur le sol : ce sont les météorites. Le 8 décembre 1992, notre planète a été frôlée par la météorite Toutatis, à environ 10 fois la distance Terre-Lune ! Toutatis mesure plus de 2 km de long et revient presque tous les 4 ans croiser l'orbite de la Terre.

Des trous gigantesques !

Le Meteor Crater

En s'écrasant sur le sol, les météorites creusent des cratères.

Certains sont énormes : le Meteor Crater, situé en Arizona, aux Etats-Unis, a un diamètre de 1 300 m et une profondeur de 175 m. La météorite qui l'a creusé avait un diamètre de 25 m et pesait près de 65 000 tonnes ! Il y a environ 25 000 ans, elle a percuté le sol à près de 100 000 km/h !

Une explosion géante

Quelques fractions de seconde plus tard, un nuage de 300 millions de tonnes de roches et de vapeur a surgi du trou et a tout balayé sur son passage ! Une pluie de projectiles incandescents s'est abattue sur la région, brûlant la végétation et les animaux avant de les engloutir sous une montagne de cendres !

Cette explosion était 1 000 fois plus puissante que celle de la bombe d'Hiroshima.

Y a-t-il un danger ?

Les chutes de météorites aussi énormes que celle qui a creusé le Meteor Crater sont exceptionnelles : un accident comme celui-ci a lieu en moyenne tous les 25 000 ans. La météorite la plus impressionnante des siècles derniers est tombée à Hoba, en Namibie.

Découverte en 1920, elle pèserait 70 tonnes ! Les chutes de petits objets arrivent fréquemment : chaque année, 10 000 fragments de matière extraterrestre tombent sur notre planète, la plupart du temps dans les océans !

De la cellule à l'homme

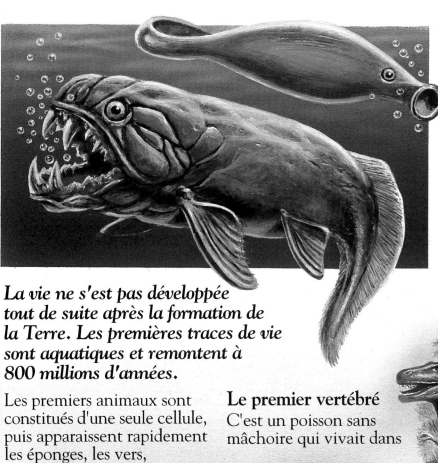

l'océan il y a 500 millions d'années environ.
Des millions d'années plus tard, cette espèce donnera naissance à de vrais poissons, puis aux amphibiens qui gagneront la Terre.

Les dinosaures

Ces reptiles, dont quelques-uns volaient, sont apparus il y a environ 200 millions d'années. Le plus petit mesurait 60 cm de long et le plus gros 6 m de haut.

La vie ne s'est pas développée tout de suite après la formation de la Terre. Les premières traces de vie sont aquatiques et remontent à 800 millions d'années.

Les premiers animaux sont constitués d'une seule cellule, puis apparaissent rapidement les éponges, les vers, les méduses, et plus tard les animaux à coquille et à squelette.

Le premier vertébré

C'est un poisson sans mâchoire qui vivait dans

Après leur disparition, les mammifères ont envahi la Terre.
Et, il y a seulement 4 millions d'années, sont apparus les premiers êtres mi-animaux, mi-hommes, les australopithèques !
Ils pesaient une vingtaine de kilos et mesuraient 1,10 m !

15

Les témoins visibles

Leur taille variait de quelques centimètres à plus de 2 m ! La coquille en spirale, formée de calcaire et de nacre, était divisée en une série de loges cloisonnées. L'animal occupait la plus proche de l'ouverture. Quand il grandissait, il se construisait une nouvelle loge.

A l'époque de ces mollusques, les crabes, les crevettes et les langoustes abondaient, ainsi que les premières moules et les raies. Sur terre, les dinosaures régnaient en maîtres.

Les ammonites ont disparu comme les dinosaures, il y a 65 millions d'années.

Fossiles d'ammonites.

Les stromatolites

Des algues bleues, unies à des bactéries, se mélangent à de la boue calcaire pour former des édifices appelés stromatolites, parfois hauts de plusieurs mètres.
En Australie, dans la région de North Pole, on en a trouvé des traces dans des roches vieilles de 3,5 milliards d'années ! Les stromatolites seraient ainsi les plus anciennes traces de vie existant sur la Terre.
Le plus étonnant est que ces anciens édifices et ceux d'aujourd'hui ont la même structure. Il semble donc que les stromatolites actuels aient retrouvé des conditions de vie identiques à celles d'il y a plus d'un milliard d'années !

Les ammonites

Ces mollusques sont les cousins fossiles des pieuvres, seiches et calmars.
Il y a 200 millions d'années, les ammonites pullulaient dans les mers. Aujourd'hui, elles sont éteintes.

du passé de la Terre

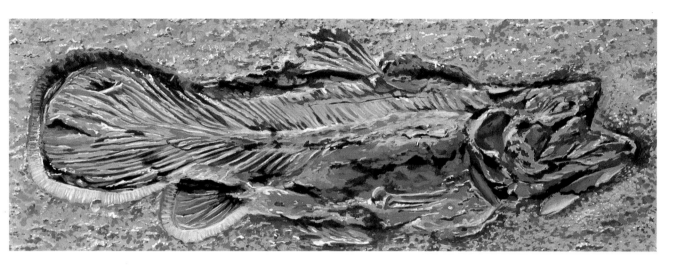

Les fossiles sont les empreintes ou les restes d'animaux ou de plantes aujourd'hui disparus, qui ont été conservés dans la roche.

Ce sont les parties dures des organismes qui ont été fossilisées : os, dents, coquilles ou bois.
En Australie, on a même retrouvé des coquilles de gastéropodes et des squelettes de petits dinosaures transformés en opales précieuses !

Utiles, les fossiles !

Grâce à eux, les scientifiques peuvent connaître la date à laquelle vivaient divers animaux ou plantes.
Ils déposent sur les fossiles des éléments tels que le carbone 14 ou l'uranium, qui provoquent des réactions atomiques dont l'analyse donne l'âge des fossiles.
Ou bien ils étudient les différentes couches des sols pour dater la roche sur laquelle figure l'empreinte.
Le cœlacanthe est un fossile vivant. En effet, ce poisson, qui existe toujours, date de l'époque où les poissons essayaient de se transformer en amphibiens.
C'est à la même période qu'apparaissent les premières plantes qui ne soient plus des algues : ce sont les mousses et les fougères.
Par la suite, à la fin de l'ère tertiaire, arrivent les plantes à fleurs.
Leurs fossiles ont fourni aux chercheurs d'importantes informations sur les paysages et les climats.

Des phénomènes naturels

un arc-en-ciel à travers
un jet d'eau placé en face
du soleil.

Le mirage est une illusion d'optique.

Dans certains endroits,
la lumière ne se propage plus
en ligne droite.
Dans le désert, un mirage
peut être déclenché par
la courbure des rayons
lumineux sur les couches
d'air très chaud. Une image
irréelle peut alors se créer et
on peut imaginer qu'elle est
due à une réflexion sur
une nappe d'eau.
Dans l'Arctique, en 1907,
un grand mirage a été décrit
incorrectement comme
"des collines, des vallées,
des pics enneigés".

L'arc-en-ciel

L'orage est fini !
Comme par magie, un demi-
cercle constitué de bandes
de différentes couleurs
– rouge, orange, jaune, vert,
bleu indigo et violet –
se dessine dans le ciel.
Même si elle nous apparaît
blanche, la lumière du soleil
contient plusieurs couleurs.
Lorsqu'un rayon de soleil
rencontre une goutte d'eau,
son chemin est un peu dévié.
Cependant, les couleurs qui
le composent ne sont pas
déviées de la même façon et
se retrouvent séparées.
Ainsi, après un orage ou
auprès d'une cascade dans

la montagne, les millions de
gouttes d'eau en suspension
dans l'air décomposent
la lumière du soleil !
On peut faire apparaître

Des tourbillons dévastateurs

Les cyclones

Les cyclones naissent sous les tropiques, au-dessus des océans. Ils s'accompagnent de pluies torrentielles et de raz-de-marée dévastateurs. La vitesse des vents peut atteindre 200 km/h.
En 1963, à Taiwan, un cyclone a fait tomber presque 2 m d'eau en une seule journée ! Au XIXe siècle, en Inde, un terrible raz-de-marée a fait monter de 12 m le niveau de l'eau et a causé la mort de 250 000 personnes !

La tornade

Ce phénomène atmosphérique très localisé est dû à la formation, dans un nuage, d'un tourbillon qui va pomper l'air et tout ce qui se trouve sur son passage : poussières, eau, mais aussi arbres, voitures, bâtiments, etc.
Une tornade peut assécher en un rien de temps un étang ou une rivière. A l'intérieur de l'entonnoir qui s'est formé à la base du nuage, les vents peuvent atteindre la vitesse de 500 km/h !

Un déluge programmé

**Sur les plaines basses et les plateaux de l'Inde et de la Chine, au sud et au sud-est de l'Himalaya, le climat tropical comporte deux saisons : un hiver sec et un été humide.
La saison des pluies est appelée mousson.**

Des vents qui apportent la pluie.

La direction des vents de mousson s'inverse selon la saison.
En hiver, une énorme masse d'air s'accumule au-dessus de l'Inde : la pression atmosphérique étant plus basse au-dessus de la mer, des vents secs se mettent à souffler du continent vers l'océan.
Par contre, en été, le sol se réchauffe sous l'action du soleil. L'air chaud, plus léger, monte en colonnes à plusieurs kilomètres d'altitude. Il crée un vide au niveau du sol, qui aspire l'air humide de la mer, porteur de fortes pluies. C'est la mousson.

Un vrai déluge !

La mousson amène des pluies diluviennes.
Elle provoque de graves inondations qui dévastent tout. De mai à octobre, elle déverse environ 5 m d'eau sur l'Inde !
En même temps, ces pluies sont très attendues, car elles rendent les terres fertiles.
Elles font pousser les arbres et les herbes dans la jungle : sur un hectare, on trouve jusqu'à 100 espèces différentes d'arbres et d'arbustes !

La colère du ciel

L'orage naît dans le plus gros des nuages : le cumulo-nimbus. C'est le résultat de violentes turbulences à l'intérieur d'un nuage entre des gouttelettes d'eau à 0° C, situées à sa base, et des cristaux de glace à – 50° C environ, localisés à son sommet. Le brassage de ces particules d'eau charge le nuage en électricité.

Histoire d'un orage

Des étincelles en zigzag, produites par la décharge électrique entre le ciel et la terre ou entre deux nuages, illuminent le ciel : ce sont les éclairs !
Puis un grondement terrible, le tonnerre, dû à la formidable élévation de température et à l'énergie libérée, se fait entendre. Bientôt, de grosses gouttes de pluie tombent. La foudre est la décharge électrique la plus intense. Quand elle s'abat sur le sol, elle fait des dégâts ! Elle est attirée par tous les objets pointus : rochers, arbres… et même l'eau.

Des éclairs géants peuvent dégager une énergie atteignant 30 000° C (5 fois plus que la température à la surface du Soleil).

21

Du soleil à minuit !

Ainsi le soleil ne se montre pas durant les longs mois d'hiver – c'est la période que l'on appelle "nuit polaire" – pour ensuite ne plus se coucher pendant un été entier !
Pendant l'hiver, le mois le plus froid n'est pas janvier, mais mars. Dans la station soviétique de Vostok, située en Antarctique, on a relevé un record de froid : – 89° C. La température moyenne annuelle est de – 45° C. Durant l'été polaire, le soleil brille à minuit.
Ce phénomène constitue le symbole des régions polaires.

Dans notre pays, les nuits et les jours n'ont pas la même durée tout au long de l'année.
Mais, aux pôles, il fait jour pendant 6 mois, et nuit pendant les 6 autres mois !

La raison en est simple. La Terre tourne autour du Soleil.
Pour en faire le tour complet, elle parcourt presque un milliard de kilomètres en un an. En plus, elle tourne sur elle-même comme une toupie autour d'un axe de rotation qui rejoint le pôle Nord et le pôle Sud.

Cet axe étant incliné par rapport au Soleil (voir ci-dessous), les deux pôles se retrouvent chacun à leur tour en pleine nuit l'hiver, ou en plein jour l'été !

Le froid rigoureux des régions polaires et l'alternance entre six mois d'été et six mois d'hiver sont dus à la rotation de la Terre autour de son axe et à l'inclinaison de cet axe par rapport au Soleil.

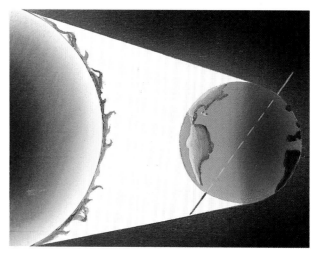

Des jeux de lumières célestes

entre 110 et 400 km
d'altitude. Au printemps et
à l'automne, les habitants
des pôles peuvent admirer
ces aurores polaires.
Au nord, on les appelle
aurores boréales ; au sud,
aurores australes.

Un ciel avec plusieurs soleils

Aux pôles, les innombrables
cristaux de glace en
suspension dans l'air
réfléchissent la lumière du
soleil et provoquent
des illusions d'optique et
des jeux de lumière. Ainsi,
on a parfois l'impression que
plusieurs lunes ou plusieurs
soleils flottent dans le ciel !
Parfois, ces phénomènes
se produisent dans
d'autres régions lorsqu'il y a
accumulation de nuages à
des altitudes différentes.

**Les aurores boréales sont
magnifiques.**
Le Soleil projette
des particules électriques
sur notre planète. Aux pôles,
le champ magnétique qui
doit les arrêter forme
une sorte d'entonnoir qui
a tendance à les regrouper
vers le sol. Ainsi, les gaz de
l'atmosphère atteints par
les rayonnements solaires
deviennent lumineux.
Ils déploient dans le ciel
des draperies admirables,
vertes, dorées ou pourpres,

A chacun sa forme et son rôle

Les cumulus. En forme de choux-fleurs, ils se trouvent entre 500 m et 10 km d'altitude. Ce sont des nuages bien séparés, formés de minuscules gouttes d'eau. S'ils apparaissent au milieu de la journée, ils annoncent le beau temps. Mais s'il fait très chaud, ils peuvent aussi donner des pluies.

Les cumulonimbus. Lorsque le temps est à l'orage, les cumulonimbus s'élèvent dans le ciel comme d'énormes champignons. Ce sont les géants des nuages. Leur base est plus sombre que leur sommet. Sous les tropiques, ils peuvent monter jusqu'à 16 km d'altitude.

Les cirrostratus. Ce sont des nuages blancs faits de cristaux de glace. En forme de voiles, ils créent des halos autour de la Lune et du Soleil. On les trouve entre 5 et 10 km d'altitude. Ils annoncent un front chaud qui précède une perturbation.

Les altocumulus. On les appelle "moutons". Situés entre 2 et 6 km d'altitude, ils sont bosselés, plus ou moins épais et divisés. Les gouttes d'eau qui les composent sont disposées en rouleaux, en galets ou en bandes effilochées. Les altocumulus annoncent un changement de temps.

Les cirrocumulus. Ces bancs de nuages blancs en forme de galets se suivent régulièrement. Ils apparaissant à partir de 6 km d'altitude. Ils sont minces, le plus souvent disposés en lignes ou en bandes. Ils annoncent le beau temps !

Les nimbostratus. Ils constituent le ciel très chargé, de pluie ou de neige. Situés entre 2 et 6 km d'altitude, ils sont assez épais pour cacher le Soleil. Le ciel devient alors menaçant, de couleur gris sombre. Bientôt, il tombe une pluie violente et persistante.

Une force colossale !

Le vent est un gigantesque courant d'air. Dans le désert, il modifie sans cesse le paysage en déplaçant les grains de sable.

Lorsque la turbulence de l'air soulève le sable jusqu'à 3 ou 4 km d'altitude, il forme un mur entier qui bouge rapidement : c'est la tempête de sable !

Des pluies de sable rouge

En 1988, 200 000 tonnes de sable du Sahara sont retombées sur l'Europe : ce sable avait été soulevé par un vent violent en Algérie, puis transporté au-dessus de l'Europe à haute altitude. Une fois refroidis, les grains de sable se trouvèrent mêlés à des gouttes d'eau pour former un gros nuage et retombèrent ensuite sur le sol sous forme de pluie de sable rouge !

Le vent fabrique les dunes.

Sur les plages et dans les déserts, le vent pousse le sable vers l'avant et forme des dunes.
Elles ont une forme de croissant ou s'alignent en bandes parallèles. A cause du vent, les dunes changent d'aspect en permanence et avancent.
Il faut protéger les maisons et les cultures en plantant des arbres à longues racines, car elles risquent d'être ensevelies sous des tonnes de sable !

Cette dune paraît solide, mais poussée par le vent, elle peut engloutir un village en quelques heures. Dans le désert, les dunes se déplacent en moyenne de 20 m par an.

Le long des côtes non abritées, le vent du large souffle et les grands arbres ont beaucoup de mal à tenir.

Une usure implacable

A la surface de la terre, les roches sont agressées en permanence par le vent, la pluie, les changements de température et le gel.

Si les plaques de la croûte terrestre s'arrêtaient de bouger, il ne se formerait plus aucune montagne : celles qui existent déjà seraient alors rabotées jusqu'à disparaître totalement par le travail continu de l'érosion !

Les cheminées de fées en Turquie (à droite)

Elles proviennent de l'éruption de deux volcans il y a 8 millions d'années.

Les laves, boues et cendres déposées en couches ont été rongées et sculptées par l'eau de pluie, puis découpées en monticules. A certains endroits, des rochers de basalte empêchaient les matériaux de partir en les abritant comme des parapluies ! Ainsi se sont édifiées des pyramides et des colonnes coiffées d'un chapeau ! Elles peuvent

mesurer jusqu'à 30 m de haut !

Le rocher de l'aigle

Dans les pays au climat aride, le vent transporte toutes sortes de particules : sables, graviers, poussières, cendres volcaniques provenant des roches érodées. Soufflées, ces particules cognent le sol et d'autres roches : elles sont aussi abrasives que du papier de verre !
Ainsi, modelé depuis des siècles, ce bloc de granit (ci-contre) a pris la forme d'un aigle !

Des ponts créés par la nature

La plupart des ponts et des arches naissent de fractures dans des couches de grès, ou dans des couches de grès et de roches composites riches en argile.

C'est dans ces failles que l'eau et le vent vont effectuer un gros travail d'érosion et faire apparaître, au bout de plusieurs milliers d'années, des formes d'arches très étonnantes,

véritables ponts naturels. Les Indiens d'Amérique étaient très attirés par ces arches. Ils voyaient en elles des fenêtres ouvertes sur un autre monde.

Le Rainbow Bridge, dans l'Etat de l'Utah aux Etats-Unis, est une des plus grandes arches naturelles du monde.

Il mesure 85 m de long et 7 m de large. La Landscape Arch, située dans le même

Le Rainbow Bridge a été découvert en 1909. C'est une des plus belles arches du monde.

Etat, détient le record puisqu'elle mesure 88 m de long et s'élève à plus de 30 m ! Pourtant, rongée par l'érosion, elle ne fait pas plus de 2 m de large à un endroit ! D'après une estimation de 1947, l'arche la plus élevée connue au monde est située au nord-ouest de Kashi, en Chine. Elle serait haute de 312 m et longue de 45 m !

Une curiosité rouge

L'écorce de la Terre est divisée en une douzaine de plaques d'une centaine de kilomètres d'épaisseur, qui portent les continents et le fond des océans. Ces plaques bougent les unes par rapport aux autres en glissant sur une roche fondue, plus profonde.

La formation des montagnes se fait sous l'action d'un étau gigantesque.
Lorsque deux plaques se heurtent, leur écorce se plisse et se raccourcit.

Parfois, sous le choc, le plancher d'un océan plonge sous un continent, tandis que l'autre plaque se soulève pour former une montagne.
Si deux continents entrent en contact et si aucun des deux n'est précipité dans les entrailles de la Terre, les sédiments, dépôts laissés par les eaux sur le fond des océans, se retrouvent compressés et broyés.
Ainsi, après quelques tremblements de terre, des montagnes surgissent…
Il leur faut néanmoins une dizaine de millions d'années !

En Australie, il existe un énorme bloc de grès rouge très dur, placé au milieu du désert !
Le nom de cette petite montagne (ci-dessus) est Ayers Rock.
Elle est apparue il y a environ 400 millions d'années.
C'est un lieu sacré pour les aborigènes, qui la nomment Uluru. Elle mesure 3,6 km de long et 348 m de haut.
Uluru change de couleur selon l'éclairement du soleil.
L'érosion a entamé sa surface en dessinant sur le grès des sculptures appelées "queue du kangourou" ou encore "camp du lézard endormi".

Catastrophes naturelles

ont modelé les Alpes, qui s'élèvent jusqu'à 4 807 m. En se soulevant, la chaîne alpine plisse des terrains calcaires, formés des sédiments accumulés au secondaire, et donne ainsi naissance au Jura. Depuis leur formation, ces montagnes devraient logiquement mesurer au moins 20 km de haut ! Mais il n'en est rien. Car l'érosion fait son travail : jour après jour, la pluie, les torrents, la glace, le vent et les explosions des volcans usent et transforment les roches…

Il y a environ 200 millions d'années, au jurassique, la peau de la planète se fissure dans tous les sens. Les continents dérivent.

L'Inde se détache de l'immense continent que l'on appelle Gondwana et dérive à une vitesse comprise entre 4 et 18 cm par an. Elle finit par percuter le sud de l'Asie. De cette collision extraordinaire naît la chaîne de montagnes la plus haute qui existe sur la Terre : l'Himalaya. On l'appelle aussi le "toit du monde" ! Le mont Everest, le plus haut, 8 860 m, situé à la frontière entre le Népal et le Tibet,

doit son nom à sir George Everest, le premier scientifique qui en a calculé la hauteur.

C'est aussi l'époque où se forment les Alpes et le Jura.

Au cours de l'ère tertiaire, plusieurs soulèvements et plissements

Sur cette montagne appelée "chapeau de gendarme", dans le Jura, on voit bien les couches de calcaire : elles ont une forme en dôme, car elles ont été soulevées par le plissement alpin à l'ère tertiaire.

Un destructeur de roches

Au cours de leur trajet jusqu'à la mer, les rivières et les fleuves, alimentés par la pluie, creusent des lits où se déposent les alluvions qu'ils transportent avec eux. En ruisselant sur les montagnes ou les plateaux, l'eau s'infiltre, écaille, décompose, brise, fendille et use les roches.

Apparaissent alors des fissures, des gorges, des couloirs et d'étranges édifices de pierre.

Le Grand Canyon
Situé aux Etats-Unis, c'est une des gorges les plus spectaculaires du monde. Elle a été creusée par le fleuve Colorado. En 340 millions d'années, ses eaux impétueuses charriant

Le Colorado a creusé le Grand Canyon jusqu'à 1 600 m de profondeur ! Selon les endroits, il est large de 6 à 30 km.

des sables, des blocs de pierre et de la boue rouge ont modelé son lit gigantesque ! Et quel lit ! La faille du Grand Canyon mesure 445 km de long, sa largeur atteint 30 km à certains endroits pour une profondeur de 1 300 à 1 600 m !

Des fleuves longs, longs…

Le Nil, un fleuve grand et fort

Le Nil (ci-contre) arrive en seconde place après l'Amazone puisqu'il mesure 6 671 km et s'étend sur 2 870 000 km². Il prend sa source au Burundi. Plus il s'approche de la Méditerranée, moins son débit est élevé, car il traverse le Sahara et ne reçoit pas d'affluents en Egypte, ce qui augmente ses pertes en eau par évaporation. Pourtant, il est très précieux pour les paysans, qui détournent ses eaux riches en alluvions fertiles pour irriguer et enrichir leurs champs.

L'Amazone, le géant des fleuves

En Amérique du Sud, l'Amazone, avec ses 7 025 km, est le fleuve le plus long du monde. Il est aussi le plus rapide, puisque l'eau s'écoule à raison de 150 000 m³ par seconde !
En période de crue, ce débit atteint d'ailleurs 280 000 m³ à son embouchure dans l'océan Atlantique…
En comparaison, le débit de la Seine est seulement de 520 m³ par seconde.
L'Amazone prend sa source à 5 000 m d'altitude dans les Andes et reçoit 15 000 affluents et sous-affluents !
Parmi eux, le fleuve le plus long, le Madeira, mesure 3 380 km.
Ce géant mesure plus de 10 km de large à son embouchure.

Le bassin de l'Amazone s'étend sur 7 millions de km², ce qui représente environ 13 fois la France.

Cascades exceptionnelles

Une merveille de la nature

Le Niagara est une rivière
américaine située entre
le Canada et les Etats-Unis.
Il se déverse du lac Erié pour
se jeter dans le lac Ontario.
A la frontière canadienne,
ses eaux se divisent en deux
magnifiques cataractes de
50 m de hauteur.
De chaque côté de l'île de
la Chèvre, l'eau s'écrase sur
une largeur de 908 m en
soulevant des éclaboussures
géantes !

Les chutes du Niagara
alimentent de puissantes
centrales électriques
des Etats-Unis et du Canada.

Les plus belles cataractes du monde

Plus grandes et plus
puissantes encore
que les chutes du Niagara,
les chutes de l'Iguaçu
(ci-dessus), situées à
la frontière de l'Argentine
et du Brésil, offrent
un spectacle extraordinaire !

L'Iguaçu est un fleuve
brésilien affluent du Paraná
et long de 1 320 km.
Au milieu d'un décor
sauvage, il déploie une suite
de cataractes sur une courbe
de 2 500 m !
Ses chutes de 72 m de haut
s'écoulent en un millier de
cascades dans un vacarme
étourdissant !
On peut y admirer souvent
des dizaines d'arcs-en-ciel
en même temps !

La chute la plus haute

Au Venezuela, il existe une région fascinante. Un des plateaux surplombant la jungle est entrecoupé d'une centaine de torrents impétueux et de cascades violentes qui s'étendent sur des kilomètres.

Parmi eux, coule une véritable rivière verticale : il s'agit des chutes de Salto Angel.
Cette gigantesque colonne blanche mesure environ 150 m de large et 980 m de hauteur ! Ce qui équivaut à 20 fois la hauteur des chutes du Niagara et plus de 3 fois celle de la tour Eiffel !

Cette chute célèbre n'est pas comme les autres.
Il s'agit en fait d'une rivière souterraine qui surgit d'un tunnel creusé à l'intérieur du plateau.
Le plus étonnant provient du fait que ce plateau est aride. Alors, d'où vient toute cette eau ?
Ce sont les vents qui amènent l'air chaud au-dessus du plateau.
En se condensant, il produit des pluies qui s'infiltrent ensuite dans les crevasses du plateau pour alimenter les rivières souterraines et les torrents.

Le travail d'un artiste

Depuis toujours le fleuve est le point stratégique des civilisations.
Les hommes se regroupent sur ses rives pour avoir de l'eau, pour naviguer et rejoindre les océans, et pour faire du commerce.

Les méandres

Un fleuve ne coule pas toujours tout droit. Il serpente souvent en formant des méandres. Ces sinuosités peuvent naître soit à la suite d'un obstacle que le fleuve doit contourner, soit par la force du courant.
Les méandres sont un des plus beaux spectacles offerts par le fleuve. Malheureusement, ces courbes superbes tendent à se déplacer à cause du travail de l'érosion du fleuve, qui creuse la rive concave tandis qu'il comble d'alluvions la rive opposée. Les méandres arrivent même à disparaître, laissant très souvent la place à un lac en forme de croissant que l'on appelle "délaissé" ou "bras mort".
Au cours de son long voyage de sa source à la mer, le fleuve taille des œuvres naturelles superbes, comme les gorges et les défilés

sculptés ensuite par la pluie et le vent.
Parfois, deux fleuves mélangent leurs eaux : ainsi, la Garonne et la Dordogne, en France, se rejoignent pour former l'estuaire de la Gironde. C'est l'un des plus grands estuaires d'Europe, avec 72 km de long !
L'estuaire le plus long du monde est celui de l'Ob, au nord de la Russie : il mesure 885 km de long et 80 km de large par endroits.

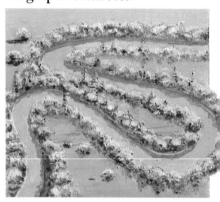

Parfois, à cause de l'importance des dépôts d'alluvions, la boucle du méandre se ferme et donne naissance à un bras mort.

Des coins de paradis

un fleuve comme les autres : il n'a pas d'embouchure. Il se disperse dans le désert à travers des marécages, des ruisseaux ou des étangs qui finissent par s'évaporer. Cette importante évaporation est due à la chaleur et au courant très faible du fleuve. Les chercheurs affirment que, chaque jour, 30 millions de mètres cubes d'eau "montent au ciel" sous forme de vapeur ! L'immense delta de l'Okavango s'étend sur 10 000 km² ! C'est le paradis de nombreux animaux.

Delta de l'Okavango.

Le delta

Lorsqu'un fleuve rejoint la mer sur une côte très plate, son lit s'élargit et se divise en une multitude de cours d'eau séparés par de petits îlots de boue, de sable et de débris. Il forme alors un delta. L'eau de mer se mélange à l'eau douce. Dans les deltas, on trouve souvent des oiseaux échassiers : flamants, aigrettes, etc., qui y cherchent leur nourriture.

Un fleuve qui se jette dans le désert.

Au Botswana, en Afrique, l'Okavango n'est pas

Dans le sud de la France, le delta du Rhône constitue un réseau de lagunes, de marais, de pâturages et de canaux. Entre les bras du fleuve, la Camargue, réserve naturelle, est le paradis des célèbres "chevaux blancs" et des taureaux noirs.

Des œuvres d'art

Elles sont façonnées et attaquées par les mouvements de la mer : courants, houle et marées, et par l'action du vent. Les plus hautes falaises se trouvent sur l'île Molokai, dans l'archipel d'Hawaï. Elles s'élèvent à 1 010 m au-dessus de la mer.

Baie des merveilles

Au Viêt-nam, dans la baie d'Along, d'énormes rochers surgissent des eaux profondes et forment un paysage merveilleux.
Sur 1 500 km², 3 000 îles, îlots et récifs émergent d'une eau couleur émeraude. Plusieurs de ces îlots abritent d'ailleurs des grottes extraordinaires, dont celle des Merveilles, visitée par les pèlerins.

Les côtes se sont formées à la suite de l'envahissement d'une partie des continents par l'océan ou lors du soulèvement de ces continents.

La baie d'Along est considérée par les Vietnamiens comme la "huitième merveille" du monde.

Cette falaise d'Etretat, en France, est très connue avec son arche et son aiguille haute de 70 m.

Les falaises

Au bord de régions où s'entassent des couches de craie, de calcaire ou de lave, la mer est bordée par de hautes murailles de rochers verticales, les falaises. Elles peuvent mesurer plusieurs dizaines de mètres de haut.

La source de la vie

Il y a 4,2 milliards d'années, il n'y avait pas d'eau sur la Terre. La planète était recouverte de volcans qui crachaient des laves incandescentes et des fumées.

Ces fumées ont créé autour du globe une enveloppe de gaz, l'atmosphère, chargée de vapeur d'eau qui est retombée sous forme de pluie.
L'eau s'est écoulée sur les pentes des montagnes, accumulée dans les failles et les cuvettes de la croûte terrestre pour former les rivières, les lacs et les océans.

Indispensable à la vie

Les océans renferment plus de 95 % de toute l'eau de la Terre. Ils sont le point de départ et d'arrivée du cycle de l'eau.
Les nuages se forment au-dessus d'eux par évaporation et déversent ensuite l'eau sur les continents.
Les deux tiers de cette eau s'évaporent, le reste retourne dans les rivières et fleuves qui se jettent dans les océans.
Une goutte de pluie tombée au cours d'une averse met environ un mois et demi pour rejoindre la mer. Les océans fournissent chaque année 425 000 milliards de m³ d'eau douce !
Sans le cycle de l'eau, il n'y aurait pas de vie. Il permet en effet de renouveler les eaux douces.
De plus, rivières, fleuves et océans sont des réserves de nourriture pour l'homme.

Un univers souterrain

d'eau lorsque celle-ci arrive dans la grotte.

Ainsi, la calcite se dépose en anneaux sur le plafond. Ceci, répété pendant plusieurs millions d'années, aboutit à la création de stalactites (1) ou de stalagmites (2).

Une fois réunies, stalactite et stalagmite forment une colonne dont la formation peut durer plusieurs dizaines de siècles !

La stalactite la plus longue mesure 59 m, elle est en Espagne. La stalagmite la plus haute fait 32 m et se trouve en France.

Des endroits merveilleux !

Les grottes ont été creusées dans la roche par les eaux. Très souvent, des plateaux de calcaire arides, recouverts de rocaille et d'une maigre végétation, cachent de vraies merveilles !

Des rivières ont drainé ces plateaux pendant des milliers d'années : elles ont creusé des canyons vertigineux et d'immenses galeries souterraines.

L'eau de pluie qui s'infiltre dans le sol pénètre peu à peu les couches de calcaire. L'acidité de l'eau attaque les roches et les dissout, créant ainsi des cavernes et de gigantesques galeries.

Des ponts étranges

Ce sont les stalactites et les stalagmites que l'on découvre dans les grottes. En s'infiltrant, l'eau dissout le carbonate de calcium, ou calcite, des roches qu'elle traverse. Celui-ci forme ensuite un précipité sur le pourtour de la goutte

Le lac de tous les records

Situé au sud de la Sibérie, le lac Baïkal est le lac le plus ancien du monde.

Sa formation a commencé il y a 25 millions d'années. D'après la légende, lorsque Dieu créa la Sibérie, il y déposa une perle… Cette perle brillait d'un éclat si pur sur le vert sombre de la forêt qu'il la laissa. Ainsi serait né le lac Baïkal, véritable mer intérieure ! Gelé six mois par an, ce lac est agité par de grosses tempêtes dues à des vents violents.

Le lac Baïkal est gelé de novembre à mai. Pendant l'hiver, les phoques vivent sous la glace, dans laquelle ils creusent des milliers de cheminées pour respirer. Dès le printemps, ils ressortent entraînant avec eux leurs bébés.

L'épaisseur de la glace, qui atteint plus de 1 m, permet aux hommes et aux véhicules de circuler sur le lac.

Le lac Baïkal est le plus grand lac du monde.

Grand comme une mer, il mesure 636 km de long (à peu près la distance de Paris à Nice) sur 80 km en son point le plus large. Sa surface est de 31 500 km² !

C'est aussi le réservoir d'eau douce le plus important du monde après les glaces situées aux pôles : il contient 23 000 km³ d'eau ! Soit un cinquième des réserves d'eau douce de la planète. Si on voulait le remplir, tous les fleuves du monde devraient y déverser leur eau pendant un an ! Actuellement, 544 cours d'eau et rivières se jettent dans le lac Baïkal.

C'est aussi le lac le plus profond de la Terre.

Sa profondeur est de 1 637 m au centre ! 2 500 espèces d'animaux et de végétaux vivent dans ce lac. Les éponges d'eau douce y atteignent 1 m en 100 ans ! Des multitudes de minuscules crevettes servent de nourriture aux nombreux poissons et filtrent l'eau du lac pour la rendre encore plus limpide ! Sa transparence est unique. Un poisson rare, le coméphore, est habitué aux grandes profondeurs : il explose s'il s'approche trop de la surface ! Les plus gros des animaux vivant sur le lac sont les phoques d'eau douce. Mais la pollution menace cette grande réserve d'eau.

Appelées à disparaître

D'étranges statues (ci-contre) naissent de l'accumulation de sel qui se dépose sur des roches ou s'agglutine en couches successives.

Située en ex-URSS, la mer d'Aral, qui a été le 4e lac du monde, est en train de disparaître. L'homme est le principal responsable. Il a détourné les deux fleuves qui s'y jetaient pour irriguer les cultures.
En 25 ans, la surface de la mer s'est rétrécie de moitié et son niveau a baissé de 14 m. Elle est devenue si salée que beaucoup de poissons sont morts. Maintenant, par endroits, à la place de la mer s'étend un désert poussiéreux parsemé de vieilles carcasses de bateaux. Si rien n'est fait, la mer d'Aral ne sera plus qu'un petit étang complètement pollué.

Une mer très salée

La mer Morte est en fait un énorme lac salé, situé au Moyen-Orient, de 76 km de long sur 17 km de large. Elle est totalement isolée des océans. Son eau s'évapore et ne se renouvelle pas…
Dix fois plus salée que celle de la mer Méditerranée, elle est aussi épaisse que du sirop. Si on s'y baigne, on flotte ! Seules certaines algues bien adaptées peuvent vivre dans cette eau.
Si un poisson s'aventure dans cette mer, il disparaît au bout de quelques secondes.
Au IIe siècle ainsi qu'en 1943, la mer Morte s'est mystérieusement mise à blanchir, sans doute à cause d'un excès de sel.

40

Un monde en mouvement

se situe au centre d'une montagne sous-marine, la dorsale, longue de 70 000 km ! Des laves sont rejetées au niveau de cette fissure : en durcissant, elles la comblent et repoussent de chaque côté les deux plaques voisines. Celles-ci s'écartent de quelques centimètres par an. Ce qui explique que les continents "dérivent", repoussés par cette croûte.

Parsemé de lacs et de volcans, le grand rift africain découpe le continent de Djibouti au Mozambique.

La Méditerranée : un avenir incertain

Jadis, il existait un unique super-continent, la Pangée. Il s'est ensuite morcelé en plusieurs fragments qui se sont déplacés au cours de millions d'années d'évolution pour donner les continents actuels.

Il y a 45 millions d'années, l'Espagne a pivoté sur elle-même. Les Pyrénées ont surgi à la suite de ce mouvement. L'Afrique a progressé vers le nord. L'Italie a pivoté aussi, heurtant l'Europe et provoquant le soulèvement des Alpes. Aujourd'hui, l'Afrique continue de remonter vers l'Europe : dans une douzaine de millions d'années, la mer Méditerranée sera probablement remplacée par une chaîne de montagnes !

Les rifts

Le rift est un grand fossé volcanique, large de plusieurs kilomètres, qui se trouve le long d'une fracture de l'écorce terrestre. La croûte qui forme le fond des océans est ouverte du nord au sud par un long rift qui

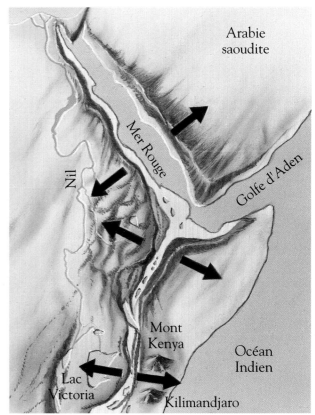

La vie dans les ténèbres

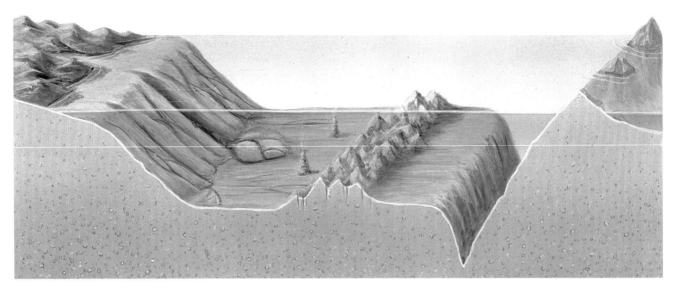

Univers privé de lumière, les grands fonds marins offrent peu de nourriture : seulement les bactéries de la vase et la matière morte qui tombe de la surface. Des fosses gigantesques plongent jusqu'à 11 000 m de profondeur.

Poissons lumineux et fossiles vivants

Il y a pourtant de la vie dans les grands fonds marins. Jusqu'à 5 000 m, on rencontre encore des poissons ou des calmars géants phosphorescents, mesurant 20 m et pesant jusqu'à 40 tonnes ! On trouve aussi des holothuries ou concombres de mer, des vers et… des fossiles vivants. Certains coquillages ressemblent aux animaux qui vivaient sur Terre il y a des millions d'années.

Des oasis de vie

Le bord des montagnes sous-marines, les dorsales, est soulevé par les roches fondues situées sous la surface du globe. A plus de 2 000 m de profondeur, des cheminées de plusieurs mètres de hauteur, appelées "fumeurs", crachent de l'eau brûlante de 300 à 400° C, venue des entrailles de la Terre. Elle contient du soufre, dont se servent les bactéries pour fabriquer de la matière qui sera utilisée par d'autres organismes. Ici, dans les profondeurs, les bactéries remplacent les végétaux !

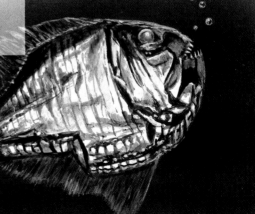

De nombreux poissons habitant les profondeurs sont phosphorescents. Ici, le poisson-hachette.

Des bâtisseurs de récifs

La Grande Barrière de corail est une succession extraordinaire de récifs coralliens de 2 000 km de long, située au nord de l'Australie.

Dans les meilleures conditions, la colonie peut grandir de 24 cm chaque année.

La vie autour du récif est intense ! On y rencontre toutes sortes d'animaux : éponges, méduses, étoiles de mer géantes, crustacés, vers, poissons multicolores, murènes, barracudas, mérous et… requins ! Jusqu'à 2 000 kg de poissons peuvent être capturés dans un hectare de récifs !

Ce très beau corail, appelé gorgone, est malheureusement très prisé des plongeurs.

Qu'est-ce que le corail ?

Il s'agit d'un étrange animal, appelé polype, cousin des anémones de mer et des méduses !

Chaque polype est constitué d'un petit sac gélatineux. Il possède à son sommet une ouverture bordée de tentacules, qui lui sert de bouche.

Grâce à ces tentacules, il capture de petits animaux qu'il digère comme un estomac et dont il rejette les restes par la bouche. A l'intérieur du sac, des algues minuscules sont présentes :

sans elles, le polype meurt. Chaque polype vit dans une sorte de maison calcaire qu'il construit lui-même. De nombreux polypes forment des récifs coralliens.

Les récifs des mers tropicales

Au fil des années, des millions de polypes édifient de véritables murs dans les mers chaudes.

43

Les fleuves de l'océan

Les océans sont parcourus par des courants très puissants. Ils naissent sous l'action conjuguée des vents à la surface de l'eau et de la différence de température entre la surface et la profondeur, parfois aussi de la rencontre de deux eaux dont la densité en sel est différente.

Aux pôles, la température de l'eau descend jusqu'à – 2° C tandis qu'elle atteint 29° C sous les tropiques.
L'eau chaude est plus légère que l'eau froide. Lorsqu'elle parvient près des pôles, l'eau chaude venant de l'équateur se refroidit.
Elle plonge alors vers le fond : un courant froid se forme qui retourne vers les régions chaudes.
Les courants sont de vrais fleuves de l'océan : ils peuvent emmener un radeau sur 200 km en une journée !

Des puissances de la nature

Les courants marins refroidissent ou réchauffent les régions du monde.
Leur chemin n'est pas rectiligne : il est dévié parce que la Terre tourne.
Ils décrivent des boucles vers la droite dans l'hémisphère Nord et vers la gauche dans l'hémisphère Sud.
Le courant situé autour de l'Antarctique est le plus puissant du monde : chaque seconde, il écoule 180 millions de m³ d'eau.
El Niño (le petit Jésus en espagnol) est un courant qui ne réchauffe qu'une fois tous les 5 à 10 ans les rivages à l'ouest de l'Amérique du Sud. Il entraîne alors d'importantes perturbations du climat dans plusieurs régions de la Terre !

Des perturbateurs de climat

Un chaud et froid étonnant

Le courant de Benguela, qui remonte de l'Antarctique le long des côtes du désert du Namib, amène des eaux glacées et refroidit le climat en bordure d'océan.

L'air froid se mélange à l'air chaud du désert pour former un brouillard épais qui tombe plus de 100 nuits par an et qui est ensuite dispersé par la chaleur du soleil. Comme il pleut très peu dans ce désert (voir p. 62), c'est le brouillard qui, en se condensant, permet la vie jusqu'à 60 km à l'intérieur des terres.

En Bretagne, on trouve des palmiers grâce à la douceur du climat due au Gulf Stream.

Ils modifient les climats.

Grâce au Gulf Stream, courant chaud né sous les tropiques, on peut faire pousser des palmiers en Bretagne et au sud de l'Angleterre !

Tandis qu'à Seattle, sur la côte ouest des Etats-Unis, il gèle à cause du courant froid de Californie !
Sans oublier qu'il existe sur les côtes du Finistère un courant chaud local qui a fait de cette région l'un des premiers potagers d'Europe !

Ils favorisent la pêche.

Les courants contrôlent aussi l'essentiel des zones de pêche du globe.

En effet, les eaux amenées par les courants froids sont très riches en matières nutritives. Les poissons y trouvent donc plus de nourriture.

Dans le désert du Namib, les girafes sont voisines des otaries.

45

Va-et-vient incessant

à raison d'une vague toutes les 15 secondes !
La vague la plus haute a été observée pendant un ouragan en 1933 : elle mesurait 34 m de haut !

Les marées

A la surface des océans, il se forme une sorte d'énorme bosse d'eau qui suit les mouvements de la Lune et du Soleil. Ainsi, l'eau monte et descend sur les rivages, en général deux fois par jour : ce sont les marées haute et basse. Sur certaines côtes de la Manche, la différence de niveau est de 13 m !

◀ *Les surfeurs exercent leur sport favori sur les rouleaux. Ce sont de grosses vagues qui s'enroulent comme des tubes.*

▼ *Port à marée basse.*

Les vagues sont des ondulations du niveau de la mer qui ont lieu de façon périodique.

Elles sont soulevées par le vent. Selon la force de celui-ci, sa durée et la région, elles sont plus ou moins hautes et se succèdent plus ou moins vite.
Par exemple, un vent de 130 km/h qui souffle sur 1 000 km d'océan crée des vagues hautes de 15 m : elles "avancent" à la vitesse de 80 km/h et s'enchaînent

Un océan de glace

Aux pôles Nord et Sud, les rayons du soleil arrivent toujours à l'oblique : ils chauffent donc beaucoup moins. La température de l'air peut atteindre – 70° C dans l'Arctique et – 90° C dans l'Antarctique. Celle de l'eau est au-dessous de 5° C, même en été !

La banquise peut dépasser 4 m d'épaisseur !
Lorsque l'été se termine, il fait plus froid.

De petits cristaux se forment et flottent à la surface de l'eau. Bientôt, la mer est recouverte d'une sorte de bouillie gelée. La neige qui tombe rend encore plus compact cet amalgame glacé. Peu à peu apparaissent des plaques de glace ou "crêpes" (ci-dessous). Elles se cognent les unes contre les autres, et se rassemblent pour constituer la banquise.

Cette glace de mer dérive au large, poussée par les vents et les courants, et se fragmente en plaques épaisses. La banquise peut aussi se plaquer au rivage comme une carapace et se maintenir pendant des années.

Des îles flottantes

Les icebergs sont d'énormes blocs de glace. En été, ils se détachent avec fracas des glaciers polaires. Puis ils flottent à la surface de l'océan.

Un vrai danger !

Les icebergs du pôle Nord proviennent le plus souvent des glaciers du Groenland. Ils mesurent plusieurs centaines de mètres de long et environ une cinquantaine de mètres de hauteur. Attention, car les trois quarts d'un iceberg restent invisibles sous l'eau. Les bateaux qui naviguent auprès d'eux doivent se méfier : lorsqu'un iceberg se retourne, il déclenche des vagues énormes qui font chavirer les embarcations !

Grands comme des îles

Dans l'Antarctique, les glaciers peuvent s'avancer sur l'océan jusqu'à 800 km au large. On peut admirer ainsi des falaises glacées de 100 m de haut ! Les icebergs qui s'en détachent sont aplatis. Ce sont les plus spectaculaires. En 1956, on a observé dans le sud de l'océan Pacifique, un iceberg long de 335 km et large de 97 km, plus grand que la Belgique !

Une langue de glace

Un fleuve de glace

Un glacier s'écoule lentement sous l'effet de la pesanteur. Chaque année, il parcourt en moyenne entre 50 et 800 m. Certains se déplacent plus rapidement comme ceux du Groenland, qui avancent de 5 km en moyenne par an. Un glacier de l'Alaska a même parcouru 24 km en 1910.
Sous la pression et les frottements, la montagne s'use. Son érosion provoque la création de cirques en forme d'entonnoirs et de vallées profondes.
En glissant, le glacier déblaie des roches qu'il évacue sous forme de débris polis, de galets et de blocs : les moraines.

*Un glacier naît d'une accumulation importante de neige qui se transforme petit à petit en glace.
Pendant les longues périodes de glaciation qu'a connues la Terre, des glaciers se sont développés.
Les plus importants, appelés calottes glaciaires, ont envahi les pôles.
Celle de l'Antarctique couvre plus de 12 millions de km² !*

Dans les pays scandinaves, les traces laissées par les glaciers disparus forment des vallées sinueuses aux rives abruptes, envahies par la mer : les fjords.

Issus des entrailles de la Terre

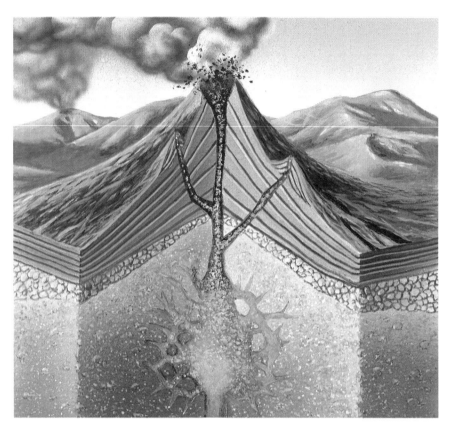

Certaines bosses de la croûte terrestre n'ont pas été soulevées à cause du choc des plaques. Elles sont faites des débris, cendres, lave et roches qui ont été crachés par un volcan !

La lave est constituée de roches en fusion : sa température peut atteindre 1 400° C ! Actuellement, 500 volcans sont en activité sur Terre ; d'autres sont "endormis", comme la chaîne des Puys, dans le Massif central. Mais ceux qui sont au fond des océans sont bien plus nombreux encore !

Les éruptions du Stromboli, qui forme l'une des îles Lipari, au nord de la Sicile, sont peu violentes. La lave s'écoule du cratère. Il lance quand même des "bombes" volcaniques (rochers entourés de lave bouillante) !
Le Vulcano, qui fait aussi partie des îles Lipari, a des explosions violentes, car sa lave plus visqueuse ne s'écoule pas facilement.

L'éruption la plus connue est celle du Vésuve, en l'an 79 de notre ère.

Elle fit 2 000 morts à Pompéi et dans les environs. Au pied de ce volcan, les habitants ont reconstruit 11 fois de suite leur village au même endroit !

La plus violente est celle du Taupo, en Nouvelle-Zélande, qui eut lieu en l'an 130. On estime que 30 milliards de tonnes de lave ont été crachées à la vitesse de 700 km à l'heure !

L'explosion qui eut lieu en 1883 sur l'île de Krakatoa, en Indonésie, engendra une vague qui tua 36 380 personnes et détruisit 163 villages !

L'éruption colossale du Tambora, sur l'île de Sumbawa, à l'est de Java, en avril 1815, a provoqué la mort de 92 000 Indonésiens. Le volcan aurait craché jusqu'à 180 km^3 de lave, de cendres, de poussières et de morceaux de roches ! Cette éruption a fait baisser la hauteur du Tambora de 1 000 m.

Des volcans silencieux

Les îles Hawaï sont nées des entrailles de la Terre ! Ce sont d'énormes volcans qui ont surgi sur le fond de l'océan Pacifique.

Les éruptions des volcans hawaïens sont silencieuses. Il n'y a ni explosions ni projections : la lave s'écoule simplement du cratère en cascades sur des surfaces considérables.
Ces îles ont donc été façonnées par les couches successives de cendres, de débris et de lave brûlante qui ont refroidi lentement.

Les volcans crachent des quantités de lave extraordinaires !
On a calculé que les îles Hawaï sont composées au total de 100 000 km³ de lave qui se sont écoulés au cours d'éruptions successives !

Cette lave s'est répandue à une vitesse pouvant aller jusqu'à 80 km/h.
Si on étalait ce manteau de lave sur la France, il aurait 200 m d'épaisseur !

Le feu de la Terre

alors ses pentes, détruisant tout sur leur passage.
La coulée la plus mortelle a rempli une vallée sur 23 km de long et tué 57 habitants ! Durant les mois suivants, une lave très épaisse s'écoula lentement du cratère et forma une colline haute comme un immeuble de 80 étages !

L'Etna : une lave qui bouillonne ! (ci-dessous)

L'Etna, volcan de Sicile de 3 390 m, est l'un des volcans les plus actifs d'Europe. Son sommet est presque toujours animé d'un énorme bouillonnement de lave.
Il arrive que la ville de Catane, située au pied du volcan, soit saupoudrée de cendres.

La violente explosion du mont Saint Helens

C'est en 1980 qu'a eu lieu la formidable éruption du mont Saint Helens, volcan situé aux Etats-Unis. Il ne s'était pas manifesté depuis 1857 ! Le versant nord de la montagne a été littéralement anéanti ! Les Canadiens ont entendu le bruit de l'explosion jusqu'à 320 km au nord !

Un vrai cataclysme !

Un gigantesque nuage chargé de cendres brûlantes fut projeté vers le ciel. Puis le volcan s'écroula sous son propre poids. Des coulées de cendres incandescentes et de gaz dévalèrent

Incroyablement hauts

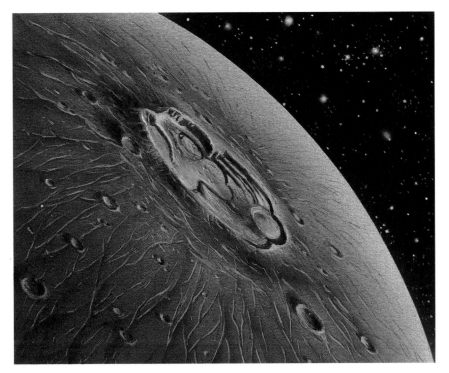

A son sommet, on a construit un observatoire. C'est aussi le plus haut du monde ! Le Mauna Kea n'est pas entré en éruption depuis 1984, mais un autre volcan géant, l'Ojos del Salado, situé à la frontière entre le Chili et l'Argentine, laisse toujours échapper des fumerolles ; il atteint 6 887 m. Le Cerro Aconcagua, dans les Andes argentines, le dépasse avec ses 6 960 m, mais il est, lui, complètement éteint.

Ci-contre, vue du mont Olympe sur la planète Mars.

Le plus grand volcan du système solaire

La planète Mars est criblée de cratères qui se sont formés à la suite de la chute de météorites. Explorée en 1971 par la sonde Mariner 9, elle révéla aussi des volcans extraordinaires : le plus haut, le mont Olympe, fait 25 km d'altitude et 500 km de large ! D'après les scientifiques, il serait né il y a 1 milliard d'années et ses éruptions se seraient arrêtées il y a 200 millions d'années, au moment où apparaissaient sur la Terre les premiers dinosaures.

Dans l'archipel d'Hawaï, en plein océan Pacifique, se trouve le plus haut volcan du monde !

Sa base n'est pas sur la terre, mais dans l'eau ! Il s'agit d'un volcan éteint, le Mauna Kea. Posé à plus de 5 000 m de profondeur dans l'océan, il dépasse le niveau de l'eau de 4 206 m. Au total, il fait donc… plus de 9 km de haut !

Le Mauna Kea fait 9 000 m de haut, mais seulement 4 206 m dépassent le niveau de la mer.

Affrontement entre le feu et la glace

Même sur l'Antarctique, le continent le plus froid de notre planète, il existe des volcans actifs.

Le volcan de l'île de la Déception (ci-dessous) s'est réveillé plusieurs fois au cours de ce siècle. Son cratère au bord de l'eau constitue un vrai port naturel.

Quand la glace et le feu se côtoient.

Le volcan de l'île de la Déception n'est qu'endormi : des vapeurs chaudes sortant des crevasses noircissent la neige et la glace qui le recouvrent. En son centre, il existe la Caldeira, un fossé dont les rives se soulèvent ou s'écroulent.
Il est envahi par la mer et l'eau fume à sa surface. Elle dépasse les 50° C ! Mais attention, elle redevient glaciale 20 cm en dessous ! Les bains ne sont pas conseillés... De toute façon, c'est une île sinistre et peu accueillante.

A l'ouest de ce continent, s'étire une série d'îles hérissées de volcans.
A leur sommet, seules quelques fumerolles signalent l'existence des cratères.
Pourtant, sur l'île de Ross, le mont Erebus (4 023 m), ci-dessus, présente des éruptions spectaculaires au cours desquelles la lave incandescente inonde les glaciers !
Au fond de son cratère, bouillonne de la lave en fusion.

eau chaude

eau glacée

Une île venue des profondeurs

Le 14 novembre 1963, une éruption volcanique a eu lieu au large de l'Islande et une île est apparue sur l'océan ! Elle a vite grandi : le 16 novembre, elle atteignait 45 m de haut, et le 30 décembre, 140 m. Plusieurs éruptions ont suivi, puis le volcan s'est calmé en 1967. La nouvelle île mesurait 1,5 km de long et 180 m de haut !

Colonisée par les plantes

Aussitôt, les géologues, botanistes et ornithologues se sont intéressés à ce phénomène extraordinaire, car l'île est un laboratoire idéal : il s'agit d'une terre neuve apparue par le feu et isolée dans l'océan.
Ils peuvent donc étudier comment apparaît la vie ! Les graines des premières plantes sont arrivées sur l'île portées par les vagues ou accrochées à des morceaux de bois. Des oiseaux en ont apporté aussi sur leurs pattes et leurs plumes. Et le vent en a disséminé beaucoup. Les rivages ont été les premiers endroits à se recouvrir d'une végétation verdoyante : des plantes qui résistaient au climat marin !

Un paradis pour les oiseaux

Diverses espèces d'oiseaux sont venues habiter sur l'île. Les mouettes et les goélands sont arrivés les premiers. Puis les fulmars, les guillemots et un couple de corbeaux !

L'avenir de l'île de Surtsey

Les scientifiques affirment qu'elle rétrécira sûrement, qu'elle perdra quelques plages, mais qu'elle ne disparaîtra pas comme l'île Falcon, qui apparut en 1885 dans l'archipel de Tonga, en Polynésie, disparut en 1890, puis ressurgit en 1892, et ainsi cinq fois de suite jusqu'en 1946, où elle s'est enfoncée dans l'eau pour toujours.

Un spectacle grandiose

Lorsqu'on arrive dans le parc de Yellowstone, on est frappé par la beauté des paysages !
Ce parc est situé dans une région volcanique, au bord des montagnes Rocheuses, aux Etats-Unis. Il possède environ 10 000 sources d'eau chaude, des bassins de boue et plus de 300 geysers qui sont les plus grands du monde.

Yellowstone : une région bouillonnante

A Yellowstone, sur une surface aussi grande que deux départements français, on traverse des vallées vertigineuses situées autour d'un plateau où s'étend un grand lac. Les parois qui surplombent ces vallées sont d'un rouge superbe mêlé de différentes teintes de jaune. C'est un cadre féerique. La végétation y est

Au cours des siècles, les eaux des sources chaudes du parc de Yellowstone ont modelé le paysage.
A Mammoth Hot Springs, elles ont sculpté d'innombrables terrasses "en cascades" sur des collines calcaires.

abondante : sapins de Douglas, pins qui atteignent 40 m de haut... C'est aussi le paradis pour des centaines d'animaux : grizzlis, bisons, cerfs et élans... Yellowstone est né du glissement de la plaque

Un chaudron bouillonnant

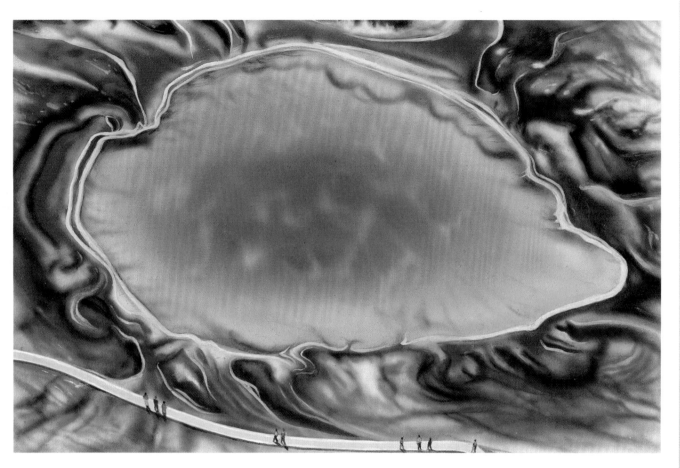

du Pacifique sous celle de l'Amérique.

Il fut accompagné d'explosions gigantesques, la dernière ayant eu lieu il y a 600 000 ans.

Depuis 1960, 1 500 séismes, même peu importants, ont été enregistrés…

Personne ne sait s'il n'y aura pas bientôt une gigantesque éruption.

Des étangs d'eau chaude

Une des attractions de ce parc, en dehors des geysers, sont les étangs d'eau chaude qui sont tous plus étonnants les uns que les autres.

Celui surnommé la bouche du feu (ci-dessus) a des eaux scintillantes parcourues de gaz incandescents semblables à des flammes. Certains étangs, colorés par des plantes microscopiques, prennent de superbes couleurs.

Le Vieux Fidèle

C'est le geyser le plus célèbre de la Terre. Il est réglé comme une horloge : il crache 40 000 l de liquide brûlant à 40 m de hauteur, 22 fois par jour toutes les 65 mn et 30 s !

Le spectacle, qui dure 4 mn, est annoncé par un bruit sourd.

Une superbe gerbe d'eau surgit alors et des tonnes de vapeur s'élèvent dans le ciel. Puis la colonne s'affaisse et se retire dans sa maison souterraine.

Des orgues de géant

Le basalte est une roche noire, compacte et lourde, émise par de nombreux volcans. Il est rejeté sous forme de lave très fluide qui s'écoule sur le sol avant de devenir solide.

Dans les îles Hawaï, le Mauna Loa, dont le cratère se situe à plus de 4 000 m, émet des coulées de lave de basalte à plus de 1 000° C. Elles progressent à plus de 10 km/h et se répandent sur 50 km de long !

Le basalte est fréquent dans le Massif central : il a été émis par des volcans aujourd'hui éteints du Cantal, de l'Aubrac et de la chaîne des Puys.

Les orgues d'Espaly

Près du Puy, en France, on peut admirer une épaisse coulée de basalte.
En se solidifiant, elle s'est rétractée et divisée en prismes parallèles et verticaux comme des tuyaux d'orgues.

Ils sont donc appelés orgues basaltiques.
Certaines orgues atteignent 20 m de haut ! L'Islande, paradis des volcanologues, présente de nombreuses orgues basaltiques.
Le basalte est une roche utile. Même s'il ne s'use pas facilement, il se décompose à la longue et donne une terre rougeâtre très fertile.
Il ne peut pas être écrasé : il est utilisé pour construire des immeubles et pour empierrer les routes.

Féeries aquatiques

L'eau de pluie s'infiltre dans le sol. A grande profondeur, elle est chauffée jusqu'à 200° C par les roches qui recouvrent le magma bouillonnant, réservoir des volcans. Elle peut ressortir sous la forme de geysers, de fumerolles, de sources chaudes ou de mares de boue.

De nombreux volcans en activité crachent des fumerolles.
Ces émanations à haute température sortant par des fractures du sol sont dues au refroidissement de la roche en fusion. Leur température peut atteindre 1000° C.
Les fumerolles de la Solfatara, vieux volcan près de Naples, dégagent des gaz acides et de la vapeur d'eau.
Dans les grottes, les hommes viennent prendre des bains de vapeur. En effet, depuis l'époque romaine, les fumerolles ont la réputation de guérir les rhumatismes et les maladies respiratoires.

Source chaude et geyser
Lorsque l'eau surchauffée arrive sans encombre à la surface, elle remplit une cuvette : c'est une source chaude (ci-contre).
Lorsqu'il existe des obstacles à l'ascension de l'eau, la pression augmente tant qu'elle continue de chauffer. La vapeur accumulée fait alors "sauter" le bouchon d'eau froide qui se trouve au-dessus. L'eau surgit sous forme de jet accompagné de vapeur d'eau : c'est un geyser (ci-dessous).

Des secousses meurtrières

Les tremblements de terre, appelés aussi séismes, sont plus meurtriers encore que les volcans.

Provoqués par les déplacements des plaques de la croûte terrestre sur une couche profonde de roches fondues, ils sont assez puissants pour soulever une montagne, affaisser les fosses d'un océan ou déplacer un terrain.

A titre d'exemple, lors d'un séisme en Chine, une route et les arbres qui la bordaient ont été déplacés sur 1 500 m, sans qu'un seul arbre tombe !

Chaque année, on enregistre en moyenne 500 000 secousses. Seules 100 000 sont ressenties et 1 000 causent des désastres.

L'Asie, une grande victime

Ce continent est régulièrement agité par des séismes. Ils sont provoqués par la rencontre des plaques indienne et asiatique, dont la poussée a créé la chaîne de l'Himalaya. Les vibrations des tremblements de terre surviennent même à 5 000 km de l'Himalaya !
En 1976, un séisme non prévu provoqua la mort de 655 000 personnes à Tangshan !
La secousse la plus meurtrière a eu lieu dans la région de Shaanxi, elle fit 830 000 morts.
Dernièrement, le 17 janvier 1995, Kôbe, deuxième port du Japon, a été secoué par un terrible séisme qui a fait plus de 5 000 victimes.
L'Amérique aussi, et plus précisément la Californie, située sur la faille de San Andreas, est sujette à de fréquents tremblements de terre.

Une déferlante de neige

L'avalanche est le glissement d'une importante masse de neige le long des pentes d'une montagne.

Ce phénomène se produit surtout au printemps et en période de radoucissement des températures. Une pellicule d'eau s'écoule entre le sol et la couche de neige. Celle-ci n'adhère plus, se décolle et se précipite à grande vitesse en bas de la pente en détruisant tout sur son passage.

Les avalanches peuvent se déclencher aussi après de fortes pluies. La neige gorgée d'eau devient trop lourde et se décroche.

Lorsque la neige toute fraîche tombée n'est pas bien fixée à la paroi, le simple passage des skieurs qui font du hors-piste peut provoquer une avalanche.

La vitesse d'une avalanche de neige fraîche et poudreuse peut atteindre 350 km/h.

Elles sont parfois désastreuses.

Au Pérou, en 1970, la ville de Yungay a été totalement détruite par une avalanche qui a tué 30 000 personnes sur son passage. Les avalanches les plus importantes du monde ont lieu dans l'Himalaya.

Du brouillard dans le désert

La plaine du Namib, en Namibie, au sud-ouest de l'Afrique, est une bande désertique qui s'étend sur 2 000 km. C'est une région extraordinaire où les sables brûlants du désert bordent l'océan refroidi à 12° C par un courant glacial venu de l'Antarctique.

Cette rencontre provoque des brouillards très denses, seule source d'humidité pour les plantes et les animaux. Quelques gouttes de pluie tombent çà et là tous les 5 à 20 ans !

Un paysage étonnant

De vastes étendues de dunes succèdent à des plaines caillouteuses entrecoupées d'un canyon très spectaculaire (c'est le plus grand au monde après celui du Colorado). A cause du brouillard et des courants forts, la côte est parsemée d'épaves de bateaux échoués et d'os de baleines ou de marins qui sont morts de soif. Non loin vivent des zèbres, des éléphants, des girafes et des autruches, qui peuvent apercevoir sur les rives des manchots et des otaries amenés par les courants puissants. Il arrive que des lions affamés viennent au bord de l'océan pour attraper des otaries ! Etrange rencontre entre des animaux qui n'auraient jamais dû se croiser si la nature ne s'en était pas mêlée.

14 fois la France !

Comme tous les déserts, le Sahara ne reçoit que très peu d'eau.
Certains endroits n'ont pas vu une seule goutte de pluie depuis 15 ans !

Pourtant, il y a 6 000 ans, c'était une région bien arrosée et verdoyante où vivaient quantité d'animaux : buffles, éléphants, girafes, crocodiles… La sécheresse, apparue il y a 4 000 ans, a obligé les hommes et les animaux à s'enfuir ou à s'adapter à la chaleur.

14 fois la France !

Le Sahara s'étend de l'Atlantique à la mer Rouge et de la Méditerranée au Niger sur 8 à 10 millions de km², soit au moins 14 fois la France ! Au centre, dans le Hoggar, s'élèvent des montagnes qui dépassent 3 000 m d'altitude. Partout s'étendent des plaines de cailloux, les regs, et des mers de sable, les ergs.

Un paradis en plein désert

Dès qu'il y a un point d'eau dans le désert, une oasis se crée. Les voyageurs du désert y trouvent de l'eau, de l'ombre et de la nourriture. Les habitants de l'oasis plantent des palmiers-dattiers et cultivent leur jardin.

Les bijoux de la nature

Les cristaux proviennent des roches du magma situé en profondeur dans le sol. Elles cristallisent en remontant vers la surface de la Terre.

Les cristaux géants

Un cristal géant mesure entre 1 et 2 m et possède les mêmes qualités qu'un cristal de quelques centimètres. Un cristal de quartz parfait de 1 m de long est 100 milliards de fois plus rare qu'un quartz de 5 cm !

La série la plus fabuleuse de minéraux géants intacts

est conservée au Muséum d'histoire naturelle de Paris. Les cristaux géants du Brésil sont les plus beaux de notre planète.
Une géode est une roche creuse tapissée de cristaux. Au Muséum de Paris, on peut en admirer une de 2 500 kg, trouvée à São Gabriel, au Brésil. On y voit aussi un fragment d'une géode de 35 000 tonnes.

Les cristaux géants du rio Doce,

au Brésil, sont considérés comme les plus beaux du monde. Les roches dont ils proviennent sont âgées de 400 à 500 millions d'années !

Des pierres très précieuses

Le diamant (5)

Il est capable de rayer le verre ! Brillant d'un éclat très pur, il peut être incolore, brun, rose, vert, bleu ou jaune. Les diamantaires le taillent pour mettre en valeur son éclat.
A l'état naturel, il est surtout présent dans la kimberlite, roche que l'on peut trouver à Kimberley, en Afrique du Sud, à l'intérieur d'une cheminée de volcan.

Rubis (1) et saphirs

Tous deux ont des couleurs intenses et sont pourtant issus d'une pierre incolore : le corindon.
C'est le chrome qui donne au rubis sa couleur rouge. De faibles traces de fer et de titane donnent la couleur jaune, verte ou bleue des saphirs.

Emeraude (4) et aigue-marine (3)

Ces pierres précieuses renferment souvent des impuretés qui dévaluent un peu leur beauté.
Pourtant, grâce à elles, on peut déterminer l'origine de la pierre.
Les plus belles émeraudes proviennent de Colombie.

Contrairement aux autres pierres, l'améthyste (2) est appelée pierre fine.

65

Beaux et très rares

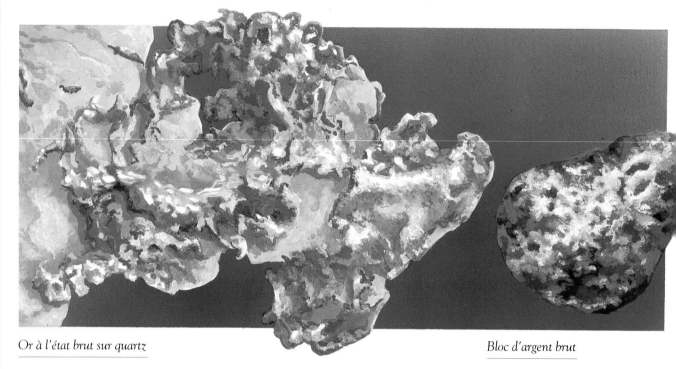

Or à l'état brut sur quartz

Bloc d'argent brut

D'une beauté exceptionnelle, l'or, l'argent et le platine sont les métaux les plus précieux au monde. On les emploie pour la fabrication de lingots, de bijoux, de pièces de monnaie et aussi dans l'industrie.

L'or est un métal très convoité.

Il a toujours été recherché. C'est principalement l'attrait de ce métal qui a poussé les hommes à voyager aux XVe et XVIe siècles. Quand au XIXe siècle on découvre de l'or en Californie, aux Etats-Unis, c'est la grande ruée des chercheurs d'or. Ce métal peut être extrait du quartz, où il est concentré en filons. Pour l'isoler, il faut broyer, puis fondre le minerai. On le trouve également sous forme de pépites dans les graviers et les sables. Pour le récupérer, les chercheurs d'or filtrent et lavent ces dépôts. En 1872, on a découvert en Australie une gigantesque pépite de 99 kg !

Le platine est aussi précieux que l'or !

Il est utilisé dans l'industrie et en bijouterie. On le trouve souvent sous forme de petits grains dans les dépôts de nickel ou dans les mines d'or. Les grandes pépites de platine sont exceptionnelles : le record est de 9,7 kg !

L'argent est très utilisé.

En bijouterie, on façonne l'argent depuis très longtemps, mais aujourd'hui il sert aussi beaucoup dans l'industrie photographique (sous forme de chlorures). Malheureusement, les industries le rejettent dans les fleuves, qu'il pollue. L'argent est le plus souvent extrait des mines de cuivre et des gisements de plomb et de zinc.

Une roche liquide

Plate-forme pétrolière.

Le pétrole est composé de débris d'organismes microscopiques, le plancton, qui ont été enfouis dans le sol il y a des dizaines de millions d'années !

D'où vient l'or noir ?

Le plancton est formé de milliards d'animaux et de végétaux microscopiques qui vivent dans les océans. Ils restent en vie peu de temps, mais ils se multiplient très vite. Lorsqu'ils meurent, ces organismes se déposent et se transforment en vase.

Enterrés, les restes de plancton deviennent aussi visqueux que de l'huile : c'est le kérogène, matière qui donnera plus tard le pétrole. Quand le kérogène est situé à plus de 2 000 m de profondeur et qu'il fait 65° C de température, il "cuit" et se transforme en pétrole ! Si la température dépasse 135° C, il devient un gaz. Le plus souvent, le pétrole est gardé enfermé sous des roches imperméables, comme s'il était prisonnier d'un couvercle hermétique : ce sont les gisements. Il faut alors percer ce couvercle

naturel pour que le pétrole surgisse de terre !

Une découverte fabuleuse !

C'est en 1859 qu'un Américain, Edwin Drake, tombe sur une nappe de pétrole pendant qu'il forait le sol pour trouver de l'eau ! Commence alors la folie de l'or noir…
Partout, les hommes cherchent du pétrole. L'industrie de l'or noir se développe rapidement, elle révolutionne l'économie du monde entier.

Des plantes qui vivaien

Le ginkgo biloba existait au temps des dinosaures, il y a 150 millions d'années.

C'est un arbre qui vit encore de nos jours et qui a toujours gardé la même forme.
On a retrouvé de nombreux fossiles de ses feuilles.

Un arbre très résistant

Le ginkgo décore les parcs et les jardins du monde entier. Il survit dans les villes, car il résiste bien à la pollution.
En Chine, un ginkgo qui a dépassé les 3 000 ans donne encore des fruits !
Le plus souvent, on plante des mâles, les arbres femelles ayant des fruits qui sentent très mauvais quand ils sont trop mûrs ! Par contre, en Asie, les amandes de ces fruits sont très appréciées.

"L'arbre aux 40 écus"
En automne, ses feuilles en forme d'éventails jaunissent comme des pièces d'or. Mais ce n'est pas pour cette raison qu'on le surnomme "arbre aux 40 écus". En effet, il y a plus de 200 ans, un certain M. de Pétigny, qui était très riche, paya la somme de 40 écus d'or pour un ginkgo qu'il acheta à un horticulteur anglais !

Les fougères ne font pas de fleurs.
Elles fabriquent des spores grosses
comme des grains de poussière.
Ces spores sont accrochées sous
leurs feuilles : en tombant sur
le sol, elles germent et donnent
de nouvelles plantes.

Les fougères figurent parmi les premières plantes qui sont apparues sur la Terre, il y a environ 400 millions d'années.

Aussi hautes que des arbres !

Les plus belles fougères arborescentes étaient des lycopodes géants : leur tronc atteignait 1 m de diamètre et 45 m de haut ! Une fois mortes, ces plantes pourrissaient sur le sol. Dans les marécages, mélangées à la boue, elles se sont transformées en charbon. De nos jours, les fougères arborescentes poussent sous les tropiques. Celles de l'île de Madagascar sont parmi les plus grandes du monde. En 1991, en Nouvelle-Calédonie, on a découvert une fougère arborescente de 26 m de haut !

Des grands solides

Aussi haut qu'un immeuble de 35 étages

Le séquoia toujours vert de Californie est l'un des plus grands arbres du monde puisqu'il atteint 120 m de haut.

Un séquoia géant, baptisé par les Américains General Sherman, mesure 89 m de haut et il pèse 2 000 tonnes. A 1,50 m du sol, le tour de son tronc fait plus de 24 m, pourtant une centaine de ses graines pèsent moins d'un demi-gramme !

En germant dans le sol et en donnant un séquoia adulte, une seule de ces graines minuscules multipliera son poids par 250 milliards ! Il faut dire qu'elle ne se presse pas pour atteindre ce poids puisqu'elle a besoin de… 3 000 ans !

Piste de danse ou tunnel ?

Aujourd'hui, les séquoias sont protégés dans les parcs nationaux. Au siècle dernier, les bûcherons abattaient beaucoup de ces arbres. On voyait couramment des trains de 30 wagons sur lesquels étaient chargés les différents morceaux du même séquoia ! L'énorme souche d'un arbre abattu par la foudre avait été aménagée en piste de danse ! Dans le tronc du séquoia General Sherman, on a même creusé un tunnel pour y faire passer une route.

L'arbre le plus gros du monde

L'arbre le plus gros du monde est un cyprès du Mexique : le tour de son tronc mesure 50 m près du sol et atteint encore 34 m à 1,50 m. Tous les enfants d'une classe, qui se tiennent

et des petits résistants

la main, n'arrivent pas à en faire le tour.
Il existe aussi des baobabs énormes dont le tronc pourrait mesurer 43 m !

En Australie, des arbres encore plus hauts !

Dans l'Etat de Victoria, on a mesuré un eucalyptus de 132 m de haut en 1872. Dans la même région, un autre eucalyptus aurait atteint 140 m en 1885. Ces arbres poussent très vite, puisqu'ils peuvent grandir de 10 m chaque année. Leur bois compte parmi les plus durs du monde. Il est utilisé pour la construction et pour la fabrication de la pâte à papier.

Parfois, les arbres se font très très petits…

Il est difficile de vivre dans la toundra arctique, car le climat y est rude. Pourtant, un arbre comme le saule nain résiste aux basses températures et aux vents glacés… en restant petit et en rampant sur le sol ! Même s'il ne mesure que quelques centimètres de haut, il a un tronc et des feuilles, comme tous ses grands frères arbres !

Eucalyptus géant.

Ces feuilles sont celles d'un saule nain. Bien qu'il ne dépasse pas 10 cm, c'est bien un arbre. Sa petite taille lui permet de résister aux vents glacés.

Des squelettes vivants

On a longtemps cru que les séquoias de Californie étaient les arbres les plus vieux du monde, mais ils sont en fait battus par d'autres arbres qui poussent en Californie : les pins bristlecones. Le plus ancien d'entre eux est âgé de 4 900 ans ! Plus récemment, en Australie, on aurait découvert des arbres vieillards de 10 000 ans !

Des arbres à 3 000 m d'altitude

Les pins bristlecones poussent à plus de 3 000 m d'altitude sur un sol très sec et caillouteux.
Ce sont les seules plantes à supporter le froid, le vent et la sécheresse glacée de ces montagnes.
Comme il ne pleut vraiment que tous les 30 ans, ils se contentent des chutes de neige pour s'approvisionner en eau.

Des arbres-squelettes

Ces pins grandissent très lentement. Ils ont un tronc torturé, un bois très dur qui ne brûle pas facilement et qui ne pourrit pas à cause des résines qui le conservent. C'est pourquoi des arbres à moitié morts ou complètement morts peuvent rester debout pendant des centaines d'années !
On a ainsi trouvé des squelettes d'arbres morts vieux de 8 000 ans, record absolu des arbres momifiés !

Des arbres du désert

Le mini-baobab

Dans le désert du Namib, très aride, le mini-baobab est un vrai nain, comparé aux autres baobabs d'Afrique !
Les habitants le surnomment l'arbre renversé à cause de la légende : selon eux, les dieux auraient lancé ces petits arbres du ciel vers la terre. Au bout de leur chute, les baobabs auraient atterri la tête la première, ne laissant apparaître que leurs racines !

Malgré sa tête à l'envers, le mini-baobab sait retenir l'eau comme les grands baobabs.

Les arbres éléphants (ci-contre)

Dans les déserts du Mexique, il existe des arbres difformes, à l'air décharné : les arbres éléphants. Ils ont un gros tronc court et tordu. Sur leurs branches, on ne voit pas de feuilles, mais… des épines ! Pendant les périodes de sécheresse, ils restent dans cet état.
Dès que tombe la pluie, ils se parent soudain de feuilles vertes suivies de fleurs rouges qui produisent des fruits et des graines. Tout cela en trois semaines. Puis ils font de nouveau semblant de mourir, se dessèchent et survivent grâce à l'eau qu'ils ont stockée dans leurs tissus !

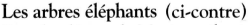

Des branches décoratives

**A Madagascar,
les "arbres-pieuvres"
forment de vraies forêts !**

Cet arbre a un gros tronc
court, garni de petites feuilles
et de piquants.
Il se divise à moins
de 1 mètre du sol en
une multitude de branches
allongées qui se dressent vers
le ciel : on dirait les tentacules
d'une pieuvre !

**Dans les villes des pays tropicaux,
on voit beaucoup d'arbres du voyageur
(ci-dessus).**

Cet arbre, qui vient de Madagascar, appartient
à la même famille que les bananiers.
Ce n'est pas un arbre comme les autres !
Son tronc ressemble à celui d'un palmier et
ses longues feuilles disposées en éventail sont
portées par des tiges placées en arc de cercle.
Il déploie ses frondes à 10 mètres du sol.
Pourquoi ce nom : arbre du voyageur ? Parce que
l'eau qui s'accumule à la base des feuilles peut
servir à étancher la soif d'un voyageur : il lui
suffit de percer la gaine de la feuille pour en
recueillir l'eau.

Un tonneau en guise de tronc

Un arbre généreux

Ses fruits sont très appréciés des singes et des hommes ; ses feuilles sont utilisées comme assaisonnement et l'écorce de son tronc sert à fabriquer des cordes, des paniers et des hamacs.

Une cachette sûre

Le tronc d'un vieux baobab est garni de petites cavernes où viennent s'abriter des oiseaux, qui veulent se protéger des vents de sable et de leurs ennemis. Quand il y a un feu dans la savane, le baobab ne brûle pas puisque son bois est imprégné d'eau : il devient alors un abri pour les serpents et les petits rongeurs.

Le baobab est grand et costaud.

Il s'agit d'un arbre unique. Son tronc énorme est aussi gonflé qu'un tonneau. Il lui permet de stocker l'eau pendant la saison des pluies. Une fois qu'il a utilisé cette eau… il maigrit ! Il ne craint rien, pas même les tempêtes de sable, car il a d'énormes racines solidement plantées dans le sol. Lorsque la saison sèche arrive, ses feuilles jaunissent, il prend un aspect rabougri et passe la mauvaise saison au ralenti. Même les termites ne peuvent attaquer son bois mou comme une éponge !

Ce sont les chauves-souris qui permettent au baobab de se reproduire.

Des échasses pour ne pas se noyer

① ②

Des forêts sur pilotis

Sur les rives des mers tropicales, il existe des forêts particulières : les mangroves. Les arbres les plus étonnants de ces forêts sont les palétuviers.
Leurs longues racines, plantées dans la vase, leur permettent de résister aux marées et aux cyclones. De plus, leurs racines ont trouvé un moyen de survivre dans l'eau saumâtre des rivages, où elles sont privées d'air : elles possèdent des sortes de tuyaux, des pneumatophores, qui sortent de l'eau et aspirent l'oxygène.

Les graines du palétuvier ne savent pas nager !

Ennuyeux pour un arbre qui vit les pieds dans l'eau ! Alors, il a inventé un système : il "accouche" tout simplement de bébés palétuviers déjà formés (1) ! Les graines germent sur l'arbre et donnent naissance à de petites plantes complètes, avec leur tige, leurs feuilles et leur racine en forme de haricot pointu. Bientôt, elles se détachent pour se fixer dans la vase et prendre racine (2). Si elles tombent alors que la marée est haute, rien n'est perdu puisqu'elles peuvent flotter pendant 3 mois avant de se planter !

Des racines qui ne se cachent pas

possède un bois très dur, rouge foncé ou noirâtre. Cet arbre peut vivre plus de 1 000 ans. Le cyprès chauve existait déjà à l'ère tertiaire : en Allemagne, on a retrouvé des feuilles fossiles âgées de 20 millions d'années.

L'arbre cathédrale

Le célèbre banian des Indes (ci-dessous) est un figuier particulier ! Il a des racines aériennes qui pendent et se plantent dans le sol en formant de nombreuses colonnes.

Le jardin botanique de Calcutta, en Inde, possède un banian extraordinaire qui s'étale sur 12 000 m^2 !

Le cyprès chauve est un arbre remarquable.

Comme le palétuvier, le cyprès chauve (ci-dessus) vit "les pieds dans l'eau" ! Il pousse dans les marécages du sud des Etats-Unis. Lui aussi possède des pneumatophores. Ce sont de grosses excroissances produites par ses racines. Elles sortent de l'eau pour prélever l'oxygène indispensable à sa survie. Il atteint une hauteur de 45 m et

Des fruits voyageurs

**Les noix de coco,
les fruits des cocotiers, sont
des miracles de la nature !**

Les jeunes noix produisent
un lait clair très désaltérant.
Les plus âgées ont une chair
délicieuse, le coprah, dont
on extrait une huile végétale.
Les fibres qui entourent
la graine servent à fabriquer
des filets de pêche,
des cordages, et la coque sert
à allumer le feu.

Des fruits qui flottent sur les mers.

Un cocotier peut vivre
100 ans et donner 450 noix
de coco chaque année !
Les noix de coco sont
des fruits exceptionnels :
elles peuvent flotter à
la surface des mers sur
des milliers de kilomètres,
s'échouer sur une plage et
prendre racine !
C'est pourquoi on rencontre
les cocotiers sur la plupart
des rivages des pays tropicaux.
Dans le Pacifique, la tradition
veut que l'on plante un
cocotier dès qu'un bébé naît.
On déduit ensuite son état
de santé en regardant celui
de l'arbre !

Des arbres bienfaiteurs

Le jojobab : un arbuste qui fait de la cire.

De tout temps, les hommes ont exterminé les cachalots pour récupérer le blanc de baleine qu'ils possèdent à l'intérieur de l'énorme bosse de graisse située sur leur front.

Le blanc de baleine est utilisé pour fabriquer des savons, des produits de beauté, des crayons, des médicaments, des lubrifiants.

Or il existe au Mexique un arbuste très précieux : ses fruits produisent une cire qui ressemble au blanc de baleine et qui est déjà utilisée dans la fabrication de certains produits de beauté et désinfectants.

Si on l'utilisait plus souvent, on pourrait peut-être laisser les cachalots tranquilles.

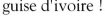

fruit du jojobab

Un arbre qui produit de l'ivoire (ci-contre).

Les éléphants d'Afrique ont été beaucoup chassés pour leurs défenses d'ivoire, qui valent très cher. Pourtant, en Amérique du Sud, pousse un palmier étonnant. Une fois qu'il est solidifié, l'intérieur de ses graines imite l'ivoire à s'y méprendre ! On peut même le sculpter. Depuis des siècles, les Indiens fabriquent des jouets et toutes sortes d'objets avec cet ivoire végétal.

Alors, laissons les éléphants vivre en paix et utilisons ces graines de palmier en guise d'ivoire !

Des formes étranges

Près de Reims, il existe une forêt très inquiétante !

Au lieu d'être droit, le tronc des hêtres est tordu dans tous les sens et rampe même à terre ! Ce sont les faux de Verzy (le nom "fau" vient du nom scientifique du hêtre). Pourquoi ces arbres, qui sont habituellement élancés et qui atteignent parfois 45 m de haut, sont-ils aussi noueux ? Mystère… Certains chercheurs pensent que les moines de cette forêt auraient favorisé les arbres tortueux en les taillant. Les plus vieux auraient plus de 1 000 ans !

Une racine à forme humaine !

La mandragore ne paie pas de mine avec ses petites fleurs bleues ! Pourtant, sa racine épaisse ressemble comme deux gouttes d'eau à un corps humain ! Autrefois, la mandragore était considérée comme une plante magique. On racontait que la racine poussait un cri en sortant de terre, provoquant la mort de tous ceux qui l'entendaient.

Une croissance rapide

Les bambous se rencontrent dans beaucoup de régions du monde. Ils forment de véritables forêts dans les pays tropicaux.

Les bambous sont capables de mesurer 30 m de haut en quelques mois, alors qu'il faut plusieurs années à un arbre pour atteindre cette taille ! Le bambou géant de Birmanie pousse de 50 cm par jour.

Quel est le secret du bambou ?

Chez la plupart des plantes en croissance, la partie de la tige qui grandit est de petite taille : pas plus de 6 mm pour celles qui poussent lentement.
Par contre, chez le bambou, ce "centre de croissance" mesure environ 60 cm. De plus, les pousses nouvelles du bambou ont une croissance continue, alors que celles d'un arbre ne grandissent qu'un mois par an.

Les bambous se suicident.

Les bambous ont une autre particularité : tous les 33 à 66 ans, ils se suicident pour des raisons qui sont encore inconnues. Ainsi, le bambou géant se pare de grosses fleurs qui aspirent toutes ses réserves de sucre sans les reconstituer, d'où la mort du bambou.
Cette mort est une catastrophe dans les régions où les habitants utilisent cette plante pour la fabrication des maisons et des meubles. C'est aussi un drame pour le grand panda de Chine, qui ne se nourrit que de bambous. Autre fait extraordinaire : tous les bambous d'une même espèce fleurissent la même année, quelle que soit la région où ils se trouvent ! Un bambou de la Jamaïque fleurira en même temps qu'un autre transplanté en Angleterre !

L'arbre à boulets de canon

Le couroupita des forêts de Guyane est un arbre étonnant !

Les tiges enchevêtrées qui partent de son tronc portent de grosses fleurs rouges. Leurs pétales ont la même forme et la même disposition que les éléments d'une antenne parabolique. Par un système d'écho, les fleurs aident les chauves-souris, qui assurent leur fécondation, à se guider dans la nuit jusqu'à elles. Les chauves-souris s'abreuvent alors de nectar et se couvrent de pollen. Une fois fécondées, les fleurs se transforment en gros fruits ronds à l'écorce dure qui mesurent plus de 20 cm… et qui font penser à des boulets de canon.

Le temps mis par l'écho renseigne la chauve-souris sur la position exacte de la fleur du couroupita.

Des tiges ou des feuilles ?

Le figuier de Barbarie.

Le figuier de Barbarie est un cactus qui n'a pas de feuilles, mais ses tiges ressemblent à des feuilles.

épaisse le protège contre la voracité des tortues. Et les jeunes cactus ont de longues épines, qui tombent au fur et à mesure qu'ils grandissent.

De fausses feuilles

Les feuilles du fragon sont de toutes petites écailles ! Pour transformer l'énergie du soleil en sucre, le fragon est forcé d'utiliser ses tiges… qui ressemblent aussi à des feuilles ! Ses minuscules fleurs vertes se collent directement sur le milieu des fausses feuilles. Les fleurs femelles sont fécondées grâce au pollen transporté par le vent : elles donneront chacune un fruit rouge gros comme une petite cerise !

Les minuscules fleurs vert clair du fragon ne mesurent que 5 mm de diamètre.

Elles se gonflent après les pluies ; ce sont des réserves d'eau. Ses fruits poussent au bout de tiges plates ; ils sont très appréciés en Amérique et dans tous les pays où le figuier de Barbarie a été introduit.

Aussi haut qu'un arbre

Dans les régions arides, le figuier de Barbarie s'élève rarement très haut. Il forme plutôt des touffes. Pour des raisons inconnues, dans l'archipel des Galapagos, il peut mesurer jusqu'à 12 m de hauteur et son tronc atteint 1 m de diamètre ! Heureusement, son écorce

Une bonne imitation

méthode pour se faire féconder !

Sa sève est utilisée comme poison.

Pour résister à la sécheresse, les euphorbes ont des tiges épaisses et absorbantes comme des éponges, qui se gonflent d'eau lorsqu'il pleut. Ce sont des plantes succulentes. Mais, à la différence des cactus, elles contiennent une sève laiteuse et toxique. Certaines euphorbes des déserts du sud de l'Afrique peuvent devenir aussi hautes que des arbres ! Les Africains utilisent leur sève pour attraper les poissons.

En Afrique et sur les îles Canaries, il n'y a pas de cactus : toutes les plantes qui leur ressemblent sont des euphorbes des Canaries.

Elles imitent les cactus à la perfection : même allure, même forme de grands cierges qui se dressent vers le ciel, même couleur… Comme eux, pour limiter les pertes d'eau, ces plantes n'ont pas de feuilles, mais portent des épines.

Des fleurs différentes

Contrairement au cactus, qui possède le plus souvent de grandes et jolies fleurs, l'euphorbe des Canaries est beaucoup plus discrète. Elle développe une fausse fleur, composée en fait de plusieurs fleurs : au milieu, il y a une seule fleur femelle, entourée de fleurs mâles qui sont réduites à une seule étamine. Cette disposition est sans aucun doute une excellente

Des citernes vivantes

Gorgées d'eau, les tiges gonflent. Le cactus peut mettre en réserve 10 tonnes d'eau et survivre ainsi plusieurs années de suite à la sécheresse !

Un autre cactus géant

Dans le désert du Sonora, en Amérique, le saguaro ou cactus cierge géant peut atteindre 15 m de hauteur, stocker 1 tonne d'eau et vivre 200 ans. Son tronc et ses branches sont aussi plissés que des accordéons. Ainsi ils peuvent se dilater quand ils se gorgent d'eau.

Un orage violent peut faire éclater ce cactus cierge si ses racines absorbent trop d'eau.

Le cactus le plus gros

C'est le cactus cardère. Son tronc dépasse souvent 1,50 m de diamètre et ses tiges droites comme des chandeliers font plus de 20 m de haut. Ces géants de la nature forment de vraies forêts dans les déserts du Mexique. Les plus vieux sont âgés de 300 ans et dépassent les 10 tonnes !

Une citerne vivante

Les racines du cactus cardère s'étalent sur 15 m autour de la plante. Ainsi, elles absorbent la moindre goutte d'eau. Lorsqu'un orage survient, l'humidité qu'elles captent est transportée dans les tiges du cactus par un réseau de canaux.

Aussi grands que des arbres

Un fruit garde-manger

Au moment où le fruit mûrit et fabrique ses graines, les œufs du papillon éclosent et… les larves mangent au moins la moitié des graines ! Voici une mauvaise affaire pour le yucca ! Mais la nature fait bien les choses puisque le papillon semble limiter le nombre de ses rejetons. Des larves trop nombreuses avaleraient en effet trop de graines et provoqueraient la disparition des yuccas, leur seul garde-manger !

Les yuccas du désert de Vizcaino, au Mexique, sont de vrais géants par rapport aux yuccas d'appartement que l'on connaît. Certains d'entre eux sont âgés de 200 ans et font plus de 12 m de haut ! Dressés dans ce désert situé en bordure de l'océan Pacifique, ils paraissent inquiétants, avec leurs feuilles en forme de poignards et leur grosse tige ornée de feuilles sèches. Les feuilles du yucca persistent pendant plusieurs années. Elles sont très utiles pour confectionner des paniers, des cordes et des nattes.

Le yucca arborescent utilise un gros papillon de nuit pour féconder ses fleurs.

En visitant ses fleurs blanches, le papillon femelle récupère le pollen, en fait une petite boule qu'il laisse tomber ensuite dans la fleur d'un autre yucca, tandis qu'il y pond ses œufs. Les grains de pollen fécondent alors l'ovule de la nouvelle fleur de yucca, ce qui va donner un fruit.

Un destin tragique

Selenicereus.

Des fleurs qui tuent !

Au bout de 15 à 20 ans, une fois qu'il a accumulé des réserves suffisantes, l'agave produit une gigantesque hampe de fleurs qui s'élève vers le ciel, à 5 ou 6 m.
Mais, en fleurissant, il épuise toutes ses forces… et meurt. Heureusement, il développe autour de lui des pousses qui donneront de nouveaux agaves.

Agave avec sa hampe florale.

Une plante qui ne fleurit que quelques heures.

Sur l'île de la Jamaïque vit un cactus étonnant, le selenicereus. Ses tiges carrées et remplies d'épines enlacent les branches d'arbres. Elles peuvent mesurer plus de 100 m de long. Ce n'est qu'au bout de plusieurs mois que vont éclore, la nuit, ses superbes fleurs blanches, qui dépassent 35 cm d'envergure. Elles libèrent un fort parfum de vanille qui embaume la forêt et attire les chauves-souris, qui vont les féconder. Malheureusement, ces belles fleurs fanent au bout de quelques heures !

L'agave est une plante qui s'économise !

Adapté au climat aride du Mexique, l'agave fait des réserves durant toute sa vie. Ses feuilles épaisses sont gorgées d'eau et sont recouvertes d'une cire qui évite l'évaporation sous le soleil torride. Ses racines s'enfoncent profondément dans le sol pour y puiser la moindre trace d'eau.

Se déplacer pour vivre

Le "diable rampant"

C'est le surnom que
les Mexicains donnent
au cactus porte-couteaux.
Il possède des tiges qui
atteignent 5 m de long et
qui poussent en rampant
sur le sol ! Au fil des jours,
elles avancent, contournent
les buissons et les rochers,
enjambent d'autres
tiges de cactus
porte-couteaux.
Ce qui donne
un énorme
méli-mélo de
longs boudins
garnis d'épines
pointues !

Une plante en danger

De temps en temps, les tiges
du cactus porte-couteaux
envoient des racines dans
le sol. Ainsi se forment de
nouveaux plants tandis que
les premières parties meurent.
Pour se reproduire, ce cactus
fabrique aussi des fruits gorgés
de graines. Avec toutes
ces possibilités offertes par
la nature, il devrait envahir
le désert ! Or il n'en est rien :
il est plutôt fragile !

D'abord il s'allonge
seulement de 2,5 cm
chaque année,
ensuite il ne peut
plus se développer
tranquillement
depuis que
les hommes
ont entrepris
des travaux pour
amener l'eau
dans la baie de Magdalena,
où il pousse. Car il n'aime
pas du tout l'eau !

Des champignons marcheurs (à gauche)

Au début de leur vie,
les lycogales ont la forme
d'une gelée rose et épaisse :
on la surnomme "lait de
loup". Cette gelée envoie
des sortes de "pattes",
les pseudopodes, qui les font
bouger ! Dans la mesure
du possible, les lycogales se
dirigent vers les endroits
humides et chauds. A la fin
de leur voyage, ils arrivent à
se fixer, durcissent et
deviennent de petites boules.

Attirante et démesurée

La plus grande fleur du monde est la rafflésie d'Arnold, des îles Bornéo et Sumatra, en Indonésie.

Large de un mètre et pesant une dizaine de kilos, elle n'a ni feuilles, ni tiges, ni racines puisqu'elle parasite les racines d'une liane. Au début, elle vit cachée ; ses filaments s'incrustent dans les tissus de cette liane pour y puiser leur nourriture. Dès que ses réserves sont suffisantes, la plante fabrique un bourgeon qui devient aussi gros qu'un ballon de basket (1).

Puis il éclôt : cinq énormes pétales (2) rouge et blanc s'ouvrent alors sur une coupe, qui peut contenir 7 litres !

Le secret de la rafflésie

Elle a une odeur de charogne qui attire les mouches ! L'insecte tombe d'abord dans un gouffre garni d'épines. Il en sort pour replonger encore plus bas, dans une chambre en anneau qui fait le tour de la coupe. Là, des poils fins le conduisent jusqu'aux étamines, qui déchargent sur son dos du pollen gluant. Affublée de son fardeau, la mouche ressort et... fait une visite à une rafflésie femelle garnie de pistils qui récupèrent le pollen pour féconder les ovules. Puis la fleur gigantesque, gorgée de 2 à 4 millions de graines, pourrit sur place.

Un nénuphar géant

Le nénuphar est une plante étonnante. Fixé au sol par une tige souterraine, il surnage dans les mares et les étangs. Il joue un rôle important : il rend l'eau plus pure, lui fournit de l'oxygène, abrite et nourrit les poissons, les oiseaux et les insectes.

Les toutes jeunes feuilles de nénuphar commencent à grandir sous l'eau, enroulées comme des crosses. En s'allongeant, elles atteignent la surface et s'étalent sur l'eau. Les fleurs des nénuphars sont jaunes, blanches ou roses.

Les feuilles flottantes du victoria d'Amazonie peuvent atteindre 2 m de diamètre.
Elles sont parfois si larges qu'elles peuvent servir de radeau à un bébé ou à un petit singe !

Le victoria se reproduit grâce aux hannetons.
Sa fleur (ci-contre) s'ouvre en fin d'après-midi. Son parfum attire de gros hannetons qui veulent s'emparer de son pollen. Mais ils ne peuvent l'atteindre car les anthères,

terminaisons renflées des étamines, contenant le pollen, restent fermées. Le soir, la fleur se referme sur ses visiteurs ! Ce n'est que le lendemain qu'elle les libère après avoir ouvert ses anthères.

2 000 ans d'âge

Le welwitschia pousse sur des terrains caillouteux dans le désert du Namib, en Afrique. Il est bien ancré grâce à une forte racine qui s'enfonce dans le sol. Avec ses feuilles desséchées, il ressemble à un pneu qui aurait éclaté ! Il n'a que deux feuilles, qui se déroulent comme des rubans pendant plusieurs centaines d'années !

Cette plante résiste à la chaleur du désert grâce à ses feuilles. Elles absorbent l'humidité qui envahit le désert du Namib chaque matin (voir page 45). Elle est même capable de survivre à deux années de sécheresse.

La longueur des feuilles dépasse rarement 2 m, car le vent en casse souvent l'extrémité. Certains affirment pourtant qu'elles peuvent mesurer jusqu'à 100 m de long ! Le welwitschia le plus gros et le plus âgé aurait 2 000 ans.

Fossile !

D'après les savants, le welwitschia existait déjà il y a 220 millions d'années ! Malheureusement, aucun fossile ne le prouve à l'heure actuelle. Mais cette plante conserve quand même beaucoup de caractères primitifs, notamment pour se reproduire.

On ne sait pas encore comment sont fécondées les plantes femelles : le pollen est-il transporté par les insectes ou par le vent ? De plus, cette plante fabrique de jeunes pousses qui croissent autour d'elle… Mais le welwitschia n'est pas près de livrer tous ses secrets !

Une apparence trompeuse

La "coco-fesse", la graine la plus grosse du monde ?

Elle appartient à un palmier des îles Seychelles.
Elle ressemble vraiment à une paire de fesses.
Cette graine est trop lourde pour être disséminée par les animaux ou le vent et il faut plusieurs arbres mâles et femelles dans le même secteur pour qu'ils se reproduisent.

Des plantes-cailloux

Les lithops, qui poussent dans les déserts d'Afrique du Sud, se confondent avec les pierres qui les entourent : ils ont le même aspect et la même couleur.
Ce sont en fait des arbrisseaux souterrains dont les rameaux se terminent par deux feuilles qui se trouvent à la surface du sol.
Ces feuilles gorgées d'eau permettent à la plante de survivre à la sécheresse.
On repère cette plante quand elle fleurit : une fleur blanche ou jaune recouvre les deux feuilles, mais pour un après-midi seulement.

Est-ce que les plantes-cailloux se déguisent par timidité ou pour échapper aux herbivores qui n'en feraient qu'une bouchée ? Mystère...

La graine "coco-fesse" mesure 40 cm de long et peut atteindre 20 kg !

De vrais baromètres

et finit par ressembler à une boule brune ou jaunâtre, sans vie.

Par contre, dès que les pluies arrivent, elle s'étale de nouveau et déroule ses tiges. Ses feuilles s'ouvrent et retrouvent leur couleur verte. Tant qu'elle reçoit assez d'eau, la sélaginelle garde cet aspect, mais sitôt que la sécheresse revient, elle se dessèche et se recroqueville à nouveau. Elle peut patienter ainsi pendant des années en attendant la pluie !

Une fleur à l'abri sous sa maison de feuilles !

Lorsqu'il fait beau et chaud, les feuilles de la carline s'épanouissent, mais dès que l'air devient humide et annonce la pluie, elles se resserrent de plus en plus pour finalement cacher la fleur quand les premières gouttes commencent à tomber !

Donc, si l'on voit une carline recroquevillée sur elle-même, il ne faut pas s'aventurer en montagne, car l'orage menace ! Pour cette raison, les bergers clouaient une carline sur la porte de leur bergerie : ils savaient ainsi s'ils pouvaient emmener leurs brebis au pâturage.

La carline est devenue rare et risque de disparaître. Il ne faut donc pas la cueillir.

Une plante qui ressuscite.

Dans les déserts du Texas et du Pérou pousse une sélaginelle exceptionnelle (ci-contre), appelée aussi "rose de Jéricho" : cette plante est très forte pour résister à la sécheresse ! Lorsqu'elle manque d'eau, elle se replie sur elle-même

Qui roule et qui s'agrippe

des plantes épiphytes : ils vivent accrochés à d'autres plantes sans sucer leur sève. Certains préfèrent même les fils électriques ! Sans racines, ils se maintiennent en tordant leurs feuilles autour de leur support.

Dans les déserts du Mexique, le petit tillandsia des cactus est accroché par quelques racines aux cactus géants. Il capte l'eau grâce à ses feuilles, qui sont recouvertes d'une sorte de duvet.

Ce sont les oiseaux qui viennent féconder ses fleurs.

Une plante qui roule !

L'amarante des prairies d'Amérique du Nord se rencontre dans tous les westerns.

Une fois qu'elle a fleuri et produit des graines, elle se dessèche, se rabougrit et se replie en boule. Puis le vent la déracine et la fait rouler, souvent très loin.

En chemin, elle rencontre d'autres amarantes et s'agglutine avec elles, jusqu'à former une énorme boule qui peut avoir jusqu'à 80 cm de diamètre !

Une méthode efficace

Entre-temps, ses fruits s'éparpillent à terre et libèrent leurs graines qui germent dans le sol.

A la fin de sa course, la plante est morte : elle ne peut plus prendre racine. Cette technique est efficace : l'amarante est considérée comme une plante très envahissante, on la rencontre jusqu'au Canada et au Mexique.

Pourtant, une fois qu'elle a germé, elle devient une plante tout à fait insignifiante !

Accrochés aux fils électriques !

Les tillandsias sont

Des imitatrices de charme

L'ophrys mouche est rusée.

Cette orchidée utilise un stratagème astucieux pour attirer les mouches qui transporteront son pollen jusqu'à d'autres fleurs : elle prend l'apparence de ces insectes !
Par exemple, le labelle (pétale supérieur de la corolle) de l'ophrys mouche, brun avec une tache bleu métallique, ressemble au corps d'une mouche, tandis que deux autres pétales tout petits imitent les antennes.

L'ophrys bourdon attire les abeilles amoureuses !

Elle ne peut être pollinisée que par un mâle d'abeille eucère longicorne !
Le labelle épais et orné de bandes jaunes de l'ophrys bourdon fait tout de suite penser à l'insecte !
Sur ses bords, deux bosses velues rappellent même les deux boules de pollen qu'il transporte.
Plus étonnant encore, l'ophrys bourdon libère le même parfum que l'abeille femelle ! Attirée par cette odeur, le mâle abeille confond la fleur avec une femelle : il se précipite alors sur l'orchidée pour s'accoupler.
Au cours de ses soubresauts, son corps cogne les pollinies chargées de pollen, qui restent collées à lui. Puis il change de fleur. Le pollen qu'il transporte féconde alors les ovules de la nouvelle orchidée.
Le parfum sécrété par l'ophrys est libéré avant celui des abeilles femelles. Le mâle préfère ainsi visiter les fleurs plutôt que ses femelles !

Des prisons de luxe

Ainsi, ils collecteront le pollen sur leur dos et pourront polliniser un autre sabot-de-Vénus.

Une catapulte à pollen

Une orchidée du Venezuela, le catasetum impérial, déploie d'immenses fleurs pourpres de plus de 15 cm.
Le pollen de ces fleurs est situé sur une seule étamine : dès qu'un insecte la touche, le pollen est projeté sur sa tête, jusqu'à l'assommer complètement !

Une fleur victime de sa beauté

Depuis toujours, les orchidées ont fasciné l'homme.
L'une d'entre elles, le sabot-de-Vénus, ci-dessus, possède une fleur magnifique qui fleurit dès le mois de juin.
On ne la trouve que dans quelques endroits des Vosges, du Jura et des Alpes.
Elle a tellement été cueillie pour sa beauté qu'elle est aujourd'hui en danger.
Heureusement, la plante possède un rhizome, sorte de tige souterraine, qui lui permet de se perpétuer…

Un piège à bourdons

Comme les autres orchidées, elle utilise les insectes pour polliniser ses fleurs. Un de ses pétales, le labelle, est en forme de sabot.
Il attire les bourdons grâce à de petites taches foncées libérant une odeur forte.
Une fois tombés dans le sabot, les malheureux insectes ne pourront se frayer un passage jusqu'à la sortie qu'à travers une ouverture où se trouvent les organes reproducteurs de la fleur.

L'orchidée du Venezuela peut assommer les insectes avec son pollen.

prison pour ces insectes. Ses fleurs dégagent une odeur attirante et ses poils, sous l'effet du vent, ressemblent à une colonie de pucerons. Les vrais pucerons, attirés par le parfum et par leurs faux frères, descendent au fond de la fleur. Là, elle les emprisonne ! Les pauvres pucerons s'agitent pour sortir et se couvrent de pollen. Ils devront attendre que la fleur se fane pour s'échapper et aller polliniser une autre fleur.

Les malheureux pucerons qui s'aventurent dans la céropégie vivent un vrai cauchemar.

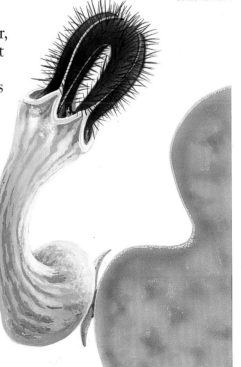

L'asclépiade, ci-dessus, est sadique.

Ne pouvant pas se féconder toute seule, elle utilise des insectes butineurs pour remplir cette mission. Pendant les jours chauds, sa fleur sécrète un nectar sucré qui attire les abeilles. Mais ce breuvage est un piège !
Sitôt posés, les insectes sont faits prisonniers : des sortes de petites lanières leur enserrent les pattes et la trompe ! En se débattant pour se dégager, les abeilles les plus chanceuses emportent du pollen et se posent sur une autre fleur, la fécondent, mais subissent les mêmes tracas.
Toutes les abeilles n'ont pas le même sort : certaines ne réussissent pas à se dégager et perdent une ou plusieurs pattes dans l'affaire ou, pire, y laissent la vie et se dessèchent sur la fleur !
Souvent cultivée dans les jardins, l'asclépiade est originaire d'Amérique du Sud.

Une prison à pucerons

La céropégie, qui pousse en Afrique, en Inde et en Malaisie, est une véritable

Un voleur de sève

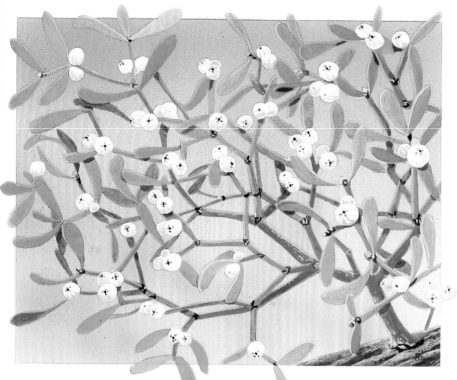

Le gui est une plante parasite, c'est-à-dire qu'elle vit aux dépens d'autres plantes, notamment des arbres et des arbustes.

Incapable de puiser ses ressources dans la terre, le gui s'accroche aux arbres. Sans racines, il se comporte lui-même comme une racine en pénétrant dans les branches pour en sucer la sève. Au fur et à mesure que l'arbre grandit, les fausses racines du gui se divisent et le perforent de plus en plus pour pomper davantage de sève. L'arbre, épuisé, finit par mourir… mais le gui privé de sève succombe avec lui !

Des baies de gui sont disséminées par les oiseaux.

En général, les baies, les fruits du gui, ne contiennent qu'une seule graine enrobée d'une substance gluante. Une fois avalées par l'oiseau, ces graines résistent à la digestion et sont rejetées dans les fientes. La substance collante qui les entoure leur permet ensuite de rester accrochées aux branches ou encore aux plumes des oiseaux ! Ceux-ci les éliminent alors… en se frottant contre les branches des arbres ! Parfois, l'oiseau n'avale pas la baie : il en mange la chair et il se débarrasse de la graine en se frottant le bec contre une branche. Collée sur celle-ci, la graine germe et déploie un petit tube qui s'enfonce dans l'écorce : le jeune gui se développe.

Une vie de parasite

La cuscute est envahissante.

Dès qu'elle sort de terre, la cuscute (ci-dessus) cherche avec sa tige à s'entortiller autour d'une plante !
Une semaine après, bien enroulée autour de sa victime, elle se détache du sol et commence à mener sa vie de parasite. Elle forme autour de la plante un enchevêtrement de filaments bruns ou rosés que l'on appelle aussi "cheveux du diable", et fabrique des "suçoirs" qui pénètrent jusque dans les vaisseaux de son hôte pour y absorber les sucres et d'autres éléments nutritifs.

Le monotrope est une plante paresseuse !

Cette plante vit dans l'humus des feuilles en décomposition. Ses feuilles, réduites à des écailles jaunâtres sans chlorophylle, ne lui permettent pas non plus de se nourrir seule. On la trouve souvent à l'ombre puisqu'elle n'a pas besoin de soleil pour vivre ! En fait, elle se procure des éléments nutritifs en s'associant avec un champignon souterrain qui pousse autour de ses racines et lui apporte les produits de sa propre digestion !

Le monotrope est incapable de se nourrir seul.

Têtue et envahissante

des machines qui la broient et l'avalent, on dynamite les bassins qu'elle envahit, on la brûle au lance-flammes ou on essaie de l'éliminer avec des produits chimiques (arsenic, acide sulfurique…). Peine perdue : la jacinthe d'eau résiste !

On a même tenté d'introduire des escargots, des tortues et des carpes pour la manger, mais cette fois-ci encore ces tentatives se sont soldées par des échecs : les escargots mangent aussi les pousses de riz, les tortues et les carpes ne peuvent pas s'adapter dans les régions où existe la jacinthe d'eau.

La plante la plus envahissante du monde

La jacinthe d'eau est la plante la plus prolifique du monde ! Très résistante, elle se reproduit très vite et envahit les lacs, les étangs et les rivières des régions tropicales !

En Louisiane, une seule plante a donné naissance à 65 000 plantules pendant les mois d'été !

La surface que les jacinthes d'eau occupent augmente de 10 % chaque jour !

Le matelas de jacinthes devient quelquefois si épais que l'on peut se promener dessus sans se mouiller les pieds ! A cause d'elles, la navigation sur les fleuves est rendue très difficile.

C'est une plante têtue !

On l'arrache à mains nues dans les pays pauvres, dans les autres on utilise

La jacinthe d'eau gêne la navigation sur certains grands fleuves, comme sur le Nil, par exemple.

De la fleur à la graine

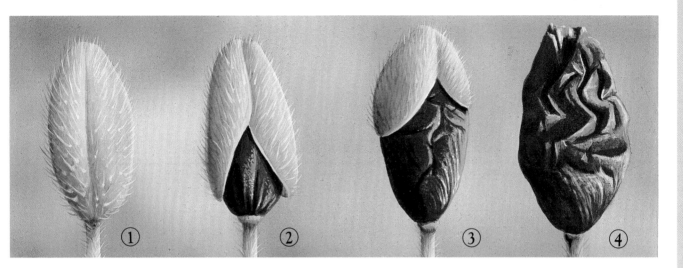

Pourquoi les plantes font-elles des fleurs ?

Pour fabriquer les graines qui donneront naissance à d'autres fleurs ! Même si elles ont parfois un aspect très différent, les fleurs sont toutes faites de la même manière. Leurs sépales et leurs pétales protègent les étamines et le pistil et attirent les insectes grâce à leurs couleurs. Les étamines forment la partie mâle : elles ont des anthères qui fabriquent le pollen.

Au milieu de la fleur, le pistil forme la partie femelle : il est composé d'un ovaire qui contient les ovules, prolongé

Différentes étapes de l'évolution du coquelicot, du bouton aux graines (de 1 à 8).

par un petit tube, le style, terminé par un stigmate. Les ovules donneront des graines une fois fécondés par les grains de pollen. En germant dans le sol, ces graines produiront de nouvelles plantes.

Des graines qui s'envolent

La "fleur" du pissenlit est en fait constituée d'une multitude de petites fleurs. Chacune d'elles ne donnera qu'une seule graine.

Quand la fleur du pissenlit est ouverte, elle est pollinisée par les insectes, puis elle reste fermée pendant que les graines se forment. Petit à petit, les pétales jaunes se dessèchent. Et la petite touffe de poils placée au bout de chaque graine se transforme en parachute ! Si les oiseaux ne les mangent pas avant, ces petits parachutes s'envolent dès que le vent souffle. Ils peuvent retomber rapidement ou faire de longs voyages. A l'atterrissage, chaque graine se sépare de son parachute et s'enfonce dans le sol.

Les championnes du vol plané

Ce sont les graines de la zazonie. Cette courge des tropiques produit des graines munies d'une aile transparente et légère.

Portées par le vent, ces graines atteignent des altitudes de plus de 30 m. Elles peuvent ensuite planer au-dessus des arbres sur plus de cent kilomètres avant de redescendre et de germer.

Monstres inoffensifs

De drôles de masques

Peut-on encore parler de fleur lorsqu'on observe ces masques qui font penser à un visage de sorcier ? La fleur de droite ci-contre appartient en fait à une orchidée. Beaucoup d'autres orchidées ont des fleurs tout aussi inquiétantes… Pourquoi donc se déguisent-elles ? Pour piéger les insectes qui les pollinisent ! La fleur de gauche appartient à une espèce différente : les verbénacées.

Une tête de mort !

Ce fruit d'hamamélis donne des frissons ! Cette plante d'Amérique du Nord ne craint pas le froid. Elle fabrique des fleurs même après la chute de ses feuilles en automne : ses fleurs jaunes éclosent donc au début de l'hiver ! Les Indiens croyaient même que cet arbre était ensorcelé !

Menaçante, cette fleur séchée de cardère sauvage avec ses épines desséchées !

Cette sorte de grand chardon que l'on voit souvent au bord de la route est une fleur géante : la cardère peut facilement atteindre 2,40 m.

Deux yeux, une bouche : la nature a esquissé un visage désespéré sur cette jolie fleur.

Cette grimace menaçante appartient à une fleur de chardon.

Est-ce un visage humain qui se cache sous le masque inquiétant de cette orchidée ?

Ce fruit d'hamamélis est très impressionnant. Il a quelque chose d'une tête de mort !

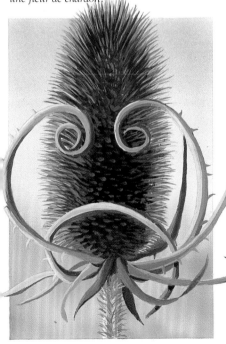

Où est la plante ?

se déplace peu. Il reste immobile toute une journée au même endroit et ne se déplace que la nuit !
De plus, beaucoup de phasmes sont capables de changer de couleur : le jour ils restent clairs, tandis que la nuit ils deviennent plus foncés.

Cette grenouille, ci-contre, est très forte dans l'art de se camoufler.
Elle a une couleur qui se fond dans celle de la feuille et, en plus, sa peau présente des dessins qui rappellent les nervures.

Ce phasme se confond parfaitement avec les brindilles environnantes.

Pour tromper leurs prédateurs, certains animaux utilisent un stratagème astucieux : le camouflage !

Un crapaud-feuille !

Sa couleur se confond parfaitement avec la feuille sur laquelle il se repose !
Ainsi, il passe inaperçu : c'est un bon moyen d'échapper à ses ennemis !
D'autres animaux sont encore plus malins, comme le caméléon, qui change de couleur à volonté : s'il est sur une feuille, il devient vert ; s'il se repose sur une pierre, il devient marron ou gris !
Mais il change aussi de couleur s'il est en colère !

Un insecte-branche : le phasme

Son corps et ses pattes en forme de brindilles font bien illusion !
Comme il ne peut pas sauter, l'"insecte-branche"

Où est l'animal ?

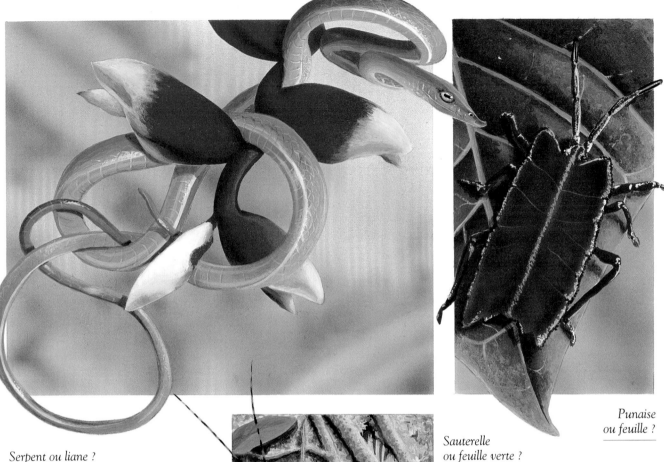

Serpent ou liane ?

*Sauterelle
ou feuille verte ?*

*Punaise
ou feuille ?*

Pas bête, cette punaise !

Elle se fait la plus discrète possible : de la même couleur que la feuille sur laquelle elle s'est posée, ses ennemis la remarquent à peine…
Gourmande, elle en profite pour sucer la sève !

Un déguisement imparable !

Astucieux, ce serpent des tropiques ! Il s'entortille tellement qu'il finit par ressembler à une liane !
Ainsi, sa proie s'approche de lui sans se méfier et… hop ! il bondit sur elle pour la dévorer !

Invisible pour survivre

Tout aussi maligne, cette sauterelle tropicale s'est posée sur un support de la même couleur qu'elle !
Ainsi, elle peut se reposer tranquillement, à condition de rester immobile !

105

De vrais coupe-gorge

Dans les marécages de Caroline du Nord, les insectes devraient se méfier de la dionée ! Gare à ceux qui se posent sur ses feuilles ! Odorantes et colorées d'un joli vert, ce sont des pièges parfaits !

Leurs deux disques ovales bordés de poils et écartés l'un de l'autre peuvent s'ouvrir et se fermer à leur guise !
Dès qu'un insecte pénètre à l'intérieur, clac ! l'étau se referme sur lui, anéantissant aussitôt tout espoir de s'échapper.
Le mécanisme de fermeture est actionné par trois poils présents à l'intérieur des disques. Il est indispensable de toucher un ou deux poils deux fois de suite pour qu'il se déclenche. Cette précaution évite à la plante de capturer des objets non vivants (gouttes d'eau, graviers…).
L'insecte prisonnier sera digéré en une à deux semaines.

Des feuilles machiavéliques

La grassette ou pinguicula, petite plante des Alpes et des Pyrénées (ci-dessous) chasse autrement.
Cachées sous ses feuilles, de petites glandes sécrètent une sorte de colle qui englue aussitôt leurs victimes : fourmis, pucerons… qui se débattent.
Excitée par cette agitation, la feuille s'enroule sur elle-même, libère des sucs digestifs et déguste tranquillement ses proies.

Des dévoreuses d'insectes

dangereusement et glissent jusqu'au fond de l'urne.
Des poils raides plantés vers le bas les empêchent même de remonter.
Ils terminent leur vie noyés dans un bouillon de sucs digestifs !

Pourtant, de petites grenouilles malignes surveillent les insectes et les attrapent avant qu'ils ne soient digérés par la plante !

Parce que la nourriture fournie par la vase des marais où elle pousse était pauvre, la sarracénie est devenue "carnivore" pour subsister !

Le drosera : un vorace

Les poils de ses feuilles brillent de gouttelettes scintillantes qui imitent des perles de rosée.
Dès qu'un insecte attiré s'approche trop, il se retrouve collé !
En se débattant pour s'échapper, il déclenche le piège : le drosera replie ses poils visqueux un à un sur lui. Les poils emprisonnent leur proie tandis que la feuille s'enroule sur elle-même.
Aussitôt, un liquide digestif est sécrété : il mettra plusieurs jours pour digérer l'insecte !
Un célèbre scientifique,

D'une voracité exemplaire, le drosera peut capturer 2 000 insectes au cours d'un seul été !

Charles Darwin, avait remarqué que le drosera poussait beaucoup plus vite s'il était nourri de viande crue, de blanc d'œuf et de fromage. Un vrai glouton !

Un piège diabolique

Au Canada pousse une plante astucieuse, la sarracénie.
Ses feuilles ont une forme de cornet au bord duquel est sécrété un liquide appétissant.
Les insectes, attirés par ce nectar, atterrissent sur le bord, puis s'approchent

Une vraie bagarreuse

Pour tenter de survivre à ces larves goulues, la plante recouvre ses feuilles toxiques de poils gluants qui empêchent les larves d'avancer ! Malgré cela, les bestioles continuent de la dévorer ! Alors elle a trouvé une autre technique. Sur ses feuilles apparaissent de petites boules qui ressemblent à s'y méprendre aux vrais œufs de papillon : même aspect, même couleur et même odeur !

Le papillon, pensant que la plante est déjà occupée, s'abstient alors d'y pondre, de peur que les chenilles trop nombreuses ne trouvent pas assez de feuilles à manger et s'entre-tuent.

Une plante qui se bat contre des insectes.

Il existe une guêpe, pique-assiette, qui parvient à pénétrer la glande à nectar de la passiflore. Elle se gave de pollen sans en emporter pour permettre la fécondation d'autres fleurs. Pour vaincre cette voleuse, la plante fait appel à des grosses fourmis ennemies des guêpes.
Elle attire tout ce petit monde là où elle veut que la bagarre ait lieu, grâce à un liquide sucré qu'elle sécrète sur ses feuilles, à bonne distance de ses fleurs, bien sûr !

Elle est très rusée !

La passiflore a un ennemi farouche, un papillon qui s'appelle heliconius. Les chenilles de ce papillon raffolent des feuilles de la passiflore !

La passiflore produit le long de ses tiges un nectar sucré qui attire les fourmis pour que celles-ci la défendent.

Cache-cache dans le désert

(1)   (2)

Dans les déserts d'Afrique du Sud, l'haworthia a trouvé une astuce pour résister à la chaleur et se protéger des antilopes qui n'en feraient qu'une bouchée !

Pendant les sécheresses, il vit tout simplement sous terre ! La plante est aspirée dans le sable par ses racines, qui se rétractent jusqu'à ce que l'on ne voie plus que le bout de ses feuilles. Par ce petit bout visible qui lui sert de "vitre", elle réussit à capter la lumière du soleil pour vivre. Dès que les pluies arrivent, ses racines se gonflent d'eau, grandissent… et la plante réapparaît au-dessus du sable !

Des fleurs artichauts

Tous les haworthias n'ont pas de racines "aspirantes". Certains ont leurs feuilles disposées en rond comme des artichauts. S'il pleut, ils ouvrent leur rosette de feuilles. Sinon, ils la referment. Le bout de ces feuilles est presque transparent : il filtre les rayons du soleil pour que les tissus contenant de la chlorophylle et placés au fond de la plante puissent capter l'énergie solaire

Cette autre espèce d'haworthia a des feuilles qui s'ouvrent et se referment suivant le degré d'humidité de l'air.

Quand il pleut, l'haworthia sort de terre (1). En période de sécheresse (2), il s'enterre.

et fabriquer le sucre qui permet à la plante de vivre.

Des couleurs pour séduire

C'est aux pigments contenus dans leurs cellules que les fleurs doivent leurs couleurs.

Le rôle des pigments

Il n'est pas encore très bien défini. Certains pigments absorbent la lumière, d'autres paraissent sensibles à l'acidité.

C'est ainsi qu'une espèce de fleur voit la coloration de ses pétales passer dans la journée du rose au bleu, cela parce que le liquide qu'elle contient est plus acide le matin que le soir.

Mais les pigments permettent avant tout aux végétaux d'attirer, par leurs splendides couleurs, les insectes qui viennent ainsi les butiner.

Les pigments sont des substances qui colorent les tissus des plantes.

Il en existe des milliers, depuis la chlorophylle, pigment vert de base que l'on retrouve dans la plupart des végétaux, jusqu'au rouge sombre, en passant par le jaune pâle, avec bien sûr de nombreuses couleurs intermédiaires.

Quelques pigments sont si persistants qu'une fois absorbés par un animal ils sont toujours très actifs (ils sont présents dans le jaune d'œuf, par exemple).

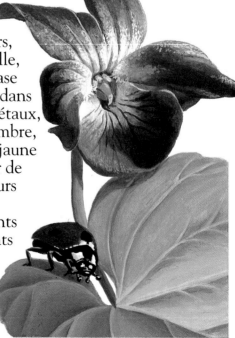

Attention les yeux !

Une plante qui rend muet.
Le dieffenbachia est très
utilisé comme plante
d'appartement.
Mais il contient une sève
toxique ! Il suffit de porter
à ses lèvres un morceau de
feuille pour souffrir de
brûlure et voir ses lèvres et
sa langue enfler, et être
incapable de parler pendant
8 jours.
Il ne faut surtout pas mettre
la sève de cette plante sur les
yeux : on peut devenir
aveugle.

Baies de belladone.

Dieffenbachia.

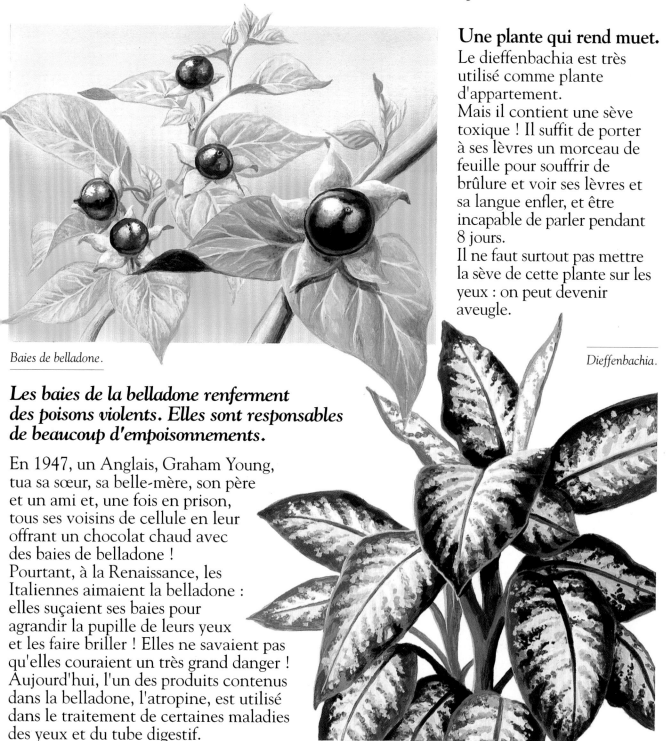

**Les baies de la belladone renferment
des poisons violents. Elles sont responsables
de beaucoup d'empoisonnements.**

En 1947, un Anglais, Graham Young,
tua sa sœur, sa belle-mère, son père
et un ami et, une fois en prison,
tous ses voisins de cellule en leur
offrant un chocolat chaud avec
des baies de belladone !
Pourtant, à la Renaissance, les
Italiennes aimaient la belladone :
elles suçaient ses baies pour
agrandir la pupille de leurs yeux
et les faire briller ! Elles ne savaient pas
qu'elles couraient un très grand danger !
Aujourd'hui, l'un des produits contenus
dans la belladone, l'atropine, est utilisé
dans le traitement de certaines maladies
des yeux et du tube digestif.

111

Une belle empoisonneuse

L'aconit est une fleur poison. Tout en elle est dangereux : ses tiges et ses feuilles, mais surtout ses racines et ses graines, qui renferment des substances terribles.

Attention, danger !

On peut le trouver à la montagne, près des étables et des bergeries. On le cultive aussi comme plante décorative.

Si on mange par accident un peu de racine d'aconit, les lèvres et la langue sont tout engourdies, on a des vertiges et on est très faible. On devient même aveugle et sourd ! En absorbant 10 g de cette racine, on peut mourir !

Employé pour la chasse

Au Moyen Age, on attirait les loups et les renards avec des morceaux de viande imbibés de sève d'aconit.

On s'en servait aussi autrefois pour tuer les prisonniers et on l'utilise encore de nos jours pour chasser les éléphants et les buffles.

Les hommes préhistoriques chassaient avec des flèches empoisonnées avec l'aconit.

L'aconitine, véritable poison contenu dans l'aconit, a la propriété d'endormir profondément un homme ou un animal ! L'aconit la plus dangereuse est celle qui pousse en Asie.

Des médicaments naturels

Le pavot à opium est surtout cultivé en Asie. C'est une plante à fleurs blanches qui peut atteindre 1 m de haut. Les pavots des champs sont les coquelicots à fleurs rouges qui égayent la campagne dès que l'été revient.

Des feuilles qui effacent la fatigue

Il y a plusieurs centaines d'années, les Indiens d'Amérique du Sud mastiquaient déjà les feuilles d'une plante, le coca du Pérou, pour supprimer la douleur, la fatigue et la sensation de faim et de froid. Au XIXe siècle, on isola une drogue de ces feuilles. Il s'agit de la cocaïne, qui, si on la badigeonne localement sur une blessure, a la propriété d'endormir la douleur. Par contre, si on l'absorbe pure, elle devient très dangereuse, car elle peut engendrer une accoutumance.

Le coca est un arbrisseau de 2 à 3 m de haut.

Le plus vieux médicament du monde

L'opium est extrait des capsules de pavot : on incise le jeune fruit encore vert et on récupère la sève, que l'on fait ensuite sécher.

Venu de Mésopotamie, l'opium était connu des médecins grecs, égyptiens, chinois, romains et arabes : ils l'utilisaient pour calmer la douleur et l'anxiété. Ce n'est qu'au XVIIe siècle que les Chinois commencèrent à le fumer.

De nos jours, l'opium, pour ses propriétés somnifères, entre dans la composition de médicaments destinés à calmer la souffrance dans les cas de maladies très douloureuses comme certains cancers.

Utilisé sous forme de drogue, l'opium est très dangereux pour la santé et peut même provoquer la mort.

Utile et dangereuse à la fois

Un parcours balisé

La digitale fleurit pendant sa deuxième année de vie. Ses fleurs sont faites pour être visitées par les bourdons. Sur leur corolle, on distingue des sortes de balises claires que les insectes vont suivre jusqu'au bout pour arriver près des organes reproducteurs. Une fois qu'elle est fécondée, la digitale porte de petites boules qui libéreront plusieurs milliers de graines minuscules. Disséminées par le vent, elles donneront elles-mêmes de futures digitales.

La digitale est une belle très dangereuse. C'est une jolie fleur que l'on rencontre dans les montagnes et qui est souvent cultivée dans les jardins.

Attention ! Il ne faut surtout pas manger ses feuilles, car elles contiennent des substances qui agissent sur le cœur. Si on en consomme beaucoup, on a des vertiges et des palpitations… et on peut en mourir !
Pourtant, la digitaline, le principe actif de cette

Cette jolie fleur peut mesurer jusqu'à 1,50 m de haut.
Originaire d'Europe et d'Asie centrale, elle contient une substance, la digitaline, très utilisée dans les médicaments destinés à soigner les maladies cardiaques.

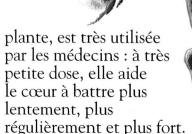

plante, est très utilisée par les médecins : à très petite dose, elle aide le cœur à battre plus lentement, plus régulièrement et plus fort.

Des lumières dans la nuit

La maladie qu'il provoque s'appelle le pourridié. Tout arbre qui devient lumineux est donc en train de mourir ! Après la mort de l'arbre, le champignon continue de se développer et fabrique son chapeau. Grâce à son mycélium, il envahit les arbres voisins !

Le clitocybe de l'olivier est aussi un champignon qui brille dans la nuit !

Mais cette fois, ce sont les lamelles de son chapeau qui émettent de la lumière. Attention, contrairement à l'armillaire qui est comestible, le clitocybe est très indigeste !

Dans les forêts tropicales d'Asie, après la pluie, certaines nuits, on peut voir des champignons luminescents (ci-dessus). Ils brillent d'une lumière aux reflets jaunes, orange et bleu-vert. En Europe, il existe aussi des champignons phosphorescents comme les armillaires de miel.

Les filaments mycéliens de ces armillaires de miel peuvent atteindre plusieurs mètres de long. Au contact de l'air, ils deviennent luisants. La lumière qu'ils émettent est même suffisante pour impressionner une plaque photographique ! Un promeneur perdu en pleine nuit peut même, en s'approchant d'eux, consulter sa boussole !

L'armillaire est un mauvais présage pour l'arbre !

C'est un champignon parasite très actif ! En glissant ses filaments mycéliens sous l'écorce à la base des troncs d'arbre et des racines, il ronge le bois et provoque petit à petit la mort de l'arbre.

Clitocybe de l'olivier.

Une langue, deux oreilles…

La langue-de-bœuf est un champignon parasite.

Il faut éviter de manger l'oreille-de-chat car c'est un champignon coriace et pas très bon.
En tout cas, il faut toujours le consommer une fois qu'il est séché et le faire bien cuire car on peut s'empoisonner.

Les oreilles-de-lièvre ?

Ce sont des champignons qui n'ont pratiquement pas de pied et un chapeau dont la forme rappelle celle d'une oreille de lièvre. Ils peuvent mesurer jusqu'à 10 cm de haut.
Ils sont comestibles, mais leur goût est tout à fait quelconque.

Un steak accroché à un arbre !

En réalité, il s'agit d'un champignon qui a la forme d'une grosse langue : on l'appelle langue-de-bœuf ! Il peut atteindre 20 cm de long, il est épais et gorgé d'un jus rouge.
Il est comestible. Quand on le mange, sa chair est aussi molle que de la gélatine et a un goût un peu acidulé. Mais ce champignon est de mauvais augure : lorsqu'il s'installe sur les chênes et les châtaigniers, cela signifie que ces arbres vont bientôt mourir.

Dans la forêt, en automne, pousse un champignon avec un chapeau très bizarre.

Il s'agit de l'helvelle crépue, appelée encore oreille-de-chat. De couleur beige clair, son chapeau est mince et découpé en trois petites feuilles dressées sur le pied. Ce pied n'est pas lisse, il est creusé de sillons profonds.

Oreille-de-chat.

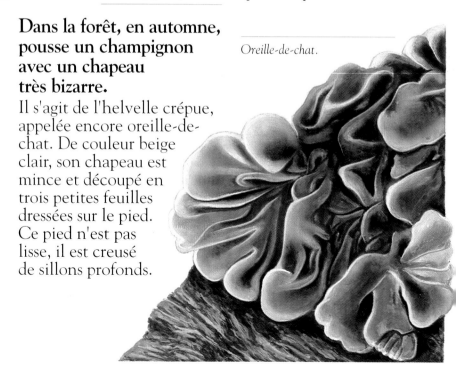

Drôles de champignons

Vesse-de-loup géante.

Des champignons géants

Au cours d'une promenade, on peut apercevoir d'énormes boules blanches dans les champs : ce sont des vesses-de-loup géantes. Certaines dépassent les 50 cm de diamètre. En 1985, on en a trouvé une de 7,5 kg ! Le tour du champignon mesurait 1,27 m ! Chez la vesse-de-loup, les spores mûrissent à l'intérieur du chapeau, enveloppées dans une membrane, et non à la surface de tubes ou de lamelles comme chez les autres champignons.

Des spores qui explosent !

La membrane qui entoure les spores est imperméable et le pied absorbe l'eau comme une éponge : même quand il pleut, les spores restent au sec. Lorsque le champignon vieillit, il laisse échapper un nuage de spores par un petit trou placé au sommet de son chapeau.

Une vesse-de-loup libère au cours de sa vie dix mille milliards de spores ! On devrait donc trouver des vesses-de-loup partout ! Or il n'en est rien, tout simplement parce que les spores, en germant, donnent des filaments de 4 sortes différentes qui doivent tous se mélanger dans un peu d'eau pour pouvoir grandir ! Il y a donc peu de chances que cela arrive…

Un parapluie naturel

En Amérique, il existe un champignon à lamelles, le marasme, qui fait le délicat. Il n'aime pas mouiller ses spores, alors il déploie son chapeau comme une ombrelle pour les protéger de la pluie !

Une fleur sacrée

Célébrée pendant 5 000 ans par les anciens Égyptiens, la fleur de lotus apparaît sur les fresques des temples et des tombeaux antiques. Elle est aujourd'hui vénérée en Asie : d'après les croyances, elle aide l'âme de l'homme à s'extraire de l'ignorance.

Une fleur exceptionnelle

Le lotus vit sur l'eau. Sa fleur mesure plus de 25 cm. Elle vit seulement 4 jours. Certaines fleurs de lotus ne s'ouvrent que la nuit. Leurs couleurs attirent les insectes qui les pollinisent. Une fois qu'elles sont fécondées, un fruit se forme au sommet de la tige. Il a l'allure d'une pomme d'arrosoir et renferme les précieuses graines, cachées dans de petites loges.

Un fruit étrange

Petit à petit, pétales et étamines se fanent… Et le fruit tombe à son tour, flottant à la surface de l'eau, tête en bas ! Les loges laissent alors échapper les graines.

Enveloppées d'une protection légère comme de l'éponge, elles flottent et dérivent sur l'eau. Leur enveloppe se désagrège et les graines finissent par couler au fond de l'eau et par prendre racine.

Une fleur immortelle

Les graines de lotus sont capables de rester à l'état latent pendant plusieurs années en attendant des conditions favorables pour se développer. Les chercheurs ont découvert en Chine des graines âgées de plusieurs centaines d'années, voire de 1 000 ans, qui ont germé !

Vieilles comme le monde

Les mousses ont fait leur apparition il y a 400 000 000 années environ. Elles se sont développées à partir d'algues vertes.

Les mousses sont très utiles : elles stabilisent et protègent les sols. Leur feutrage permet à de nombreuses plantes de germer et de survivre. Elles retiennent aussi l'humidité de l'air pendant une longue durée.

La sphaigne, ci-dessus, est une mousse des régions froides et humides qui forme des tapis immenses et mous sur lesquels on s'enfonce en marchant.

Elles fabriquent la tourbe.

Les sphaignes grandissent par le sommet de leur tige, tandis que leur base meurt et se tasse parfois sur plusieurs mètres. Ces tiges, mélangées aux débris d'autres plantes, se décomposent pour donner une matière poreuse et légère, la tourbe. Elle est surtout appréciée par les horticulteurs pour alléger la terre, l'enrichir et la garder humide.

Une vraie éponge !

La sphaigne a inventé un système ingénieux pour pomper l'eau. Ses feuilles, qui forment une sorte de mèche le long de la tige, possèdent des cellules creuses. Celles-ci, percées de nombreux pores, emprisonnent l'eau. Grâce à elles, la sphaigne absorbe 30 fois son propre poids d'eau !

Quelques sortes de mousses.

119

Une cage qui attire les mouches

Un champignon qui se mortifie.

Par contre, les mouches adorent l'odeur qu'il émet. Elles se précipitent dessus pour le dévorer et détruisent cette jolie cage rouge en quelques heures.
Croqué par les insectes, le pauvre champignon est vite réduit en poussière. Mais ce n'est qu'une mort apparente : la cage rouge est comme un "fruit" pour ce champignon.
Si on le cueille, le clathre ne va pas mourir pour autant. Comme la plupart des champignons, il survit grâce à un réseau de filaments présent dans le sol ou sous les feuilles mortes, et appelé le mycélium.

Un champignon immangeable

Si l'on se promène en forêt, on a peu de chances de rencontrer un drôle de champignon en forme de boule trouée et apparemment sans pied…
Il est assez rare et s'appelle le clathre, ou lanterne rouge.
En général, on le trouve beau, mais on évite de s'en approcher à cause de son odeur affreuse !
Même les chevaux refusent d'y plonger leurs naseaux !

Cette espèce de petite cage rouge est un champignon immangeable. Il dégage une très forte odeur qui éloigne les animaux, sauf les mouches.

Des propriétés hallucinogènes

L'amanite tue-mouche est un champignon magique.

D'après la légende, le diable aurait conclu un pacte avec le crapaud pour qu'il introduise son venin dans le champignon !
Il est vrai que c'est un champignon démoniaque !
Ceux qui en mangent ont des hallucinations : ils iront en enfer, dit la légende !
Des peuples de Russie et de Sibérie la consomment encore de nos jours pour ses propriétés délirantes.
En Europe, on posait tout simplement le chapeau d'une amanite tue-mouche dans une assiette… pour faire fuir les mouches !

Un cactus hallucinogène : le peyotl

Autrefois, les Indiens du Mexique lui vouaient un culte sacré. Chaque année, guidés par un sorcier, ils parcouraient des centaines de kilomètres dans le désert pour cueillir le cactus. Sa chair contient une substance hallucinogène, la mescaline, et, en la consommant, les Indiens avaient des visions extraordinaires !
Aujourd'hui, le culte du peyotl est toujours vivant… mais les Indiens se déplacent en limousine et les cactus sont envoyés par la poste !

Amanite tue-mouche.

Le peyotl est un cactus sacré.

Une grande timide

Quand on touche les feuilles de la sensitive, il se produit une réaction qui entraîne une diminution de ses réserves d'eau, ce qui provoque une perte de sa rigidité : la plante "s'affaisse".

**La sensitive est de la même famille que le mimosa aux petites boules jaunes du sud de la France.
Ses feuilles ont la curieuse propriété d'être très sensibles !**

Quand on les effleure du bout des doigts, les petites feuilles opposées commencent par se rapprocher (1), puis se replient l'une contre l'autre (2). Finalement, les feuilles tout entières se

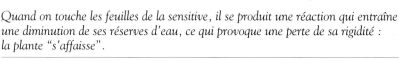

rabattent vers la tige (3). La sensitive est aussi très sensible au bruit : lorsqu'on tape des mains ou qu'un camion passe sur la route, toutes les feuilles se replient !
En effet, en effleurant la plante, on perturbe son équilibre en eau. Les tiges et les feuilles perdent alors de leur rigidité. Cet état de repliement ne dure parfois qu'une seconde, mais il lui faut souvent plusieurs heures pour retrouver sa position initiale.

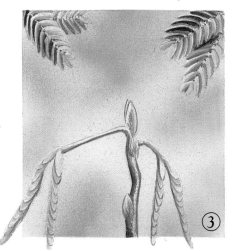

Des bouches pour respirer

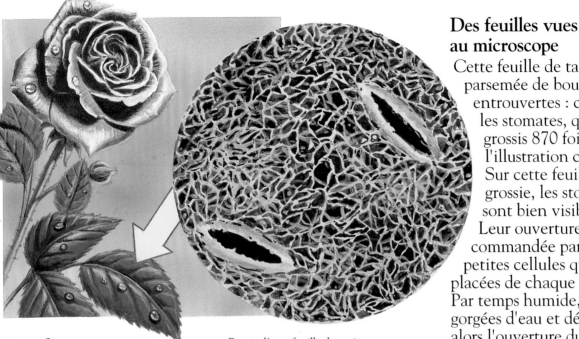

*Les plantes captent
le gaz carbonique de l'air
et rejettent de l'oxygène.*

Leurs "narines" sont en fait
des petits trous, les stomates,
placés sur leur feuillage.
Pendant la journée, elles
captent l'énergie du soleil
pour fabriquer
des éléments nutritifs
nécessaires à leur survie.
Par ce procédé, appelé
photosynthèse, elle
transforme le gaz
carbonique capté en
oxygène qu'elle rejette dans
l'atmosphère. Les plantes
renouvellent ainsi l'oxygène
que l'on respire. C'est pour
cette raison qu'il ne faut pas
détruire les arbres !

*Partie d'une feuille de rosier
grossie plus de 500 fois.*

Des feuilles vues au microscope

Cette feuille de tabac est
parsemée de bouches
entrouvertes : ce sont
les stomates, qui ont été
grossis 870 fois sur
l'illustration ci-dessous !
Sur cette feuille de rose
grossie, les stomates
sont bien visibles !
Leur ouverture est
commandée par deux
petites cellules qui sont
placées de chaque côté.
Par temps humide, elles sont
gorgées d'eau et déclenchent
alors l'ouverture du stomate.
En revanche, par temps sec,
elles commandent
sa fermeture pour limiter
les pertes en eau.

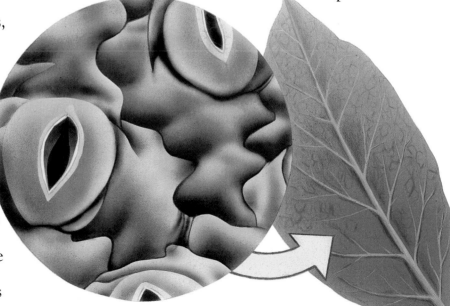

TABLE DES MATIERES